把时间浪费在美好的事物上，
所有微小的细节才是生活的本质。

愿你能把梦找到，过得更好。

把时间浪费在美好的事物上

生活的美好，就是和喜欢的一切在一起

宁远 / 著

时代出版传媒股份有限公司
北京时代华文书局

序：美好的人生，不外乎顺从己意去生活

身为两个孩子的妈妈，完全属于自己的时间越来越少，在与两个小家伙的纠缠中写出了这一本书，这是我的第四本书。

谢谢购买了前三本书的读者，是你们支撑了今天这本书的存在，不然，这些文字将会和电脑手机里那些漫天飞舞的碎片化文字一起淹没在茫茫网络，就好像它们曾经只在我内心经过。对于纸书，我始终还是有浓浓的情结。

带孩子，做衣服，写字，这三件事构成了我过去几年生活的主线。

这本书也是围绕着这个主线展开的。编辑说，这是一本有关生活和生活方式的书。我基本同意，我乐意把时间浪费在美好的事物上。至少几年前当我带着厚厚的妆容坐在主播台时是无论如何也写不出这些文字的。尽管那时我也爱写，但如今怎么看，那时的文字都在和周遭较着劲。

前些天给自己做的衣服当模特拍照片，摄影师小喜偶然闪到一张我凝视镜头的画面，画面里我的眼神有一点点对外界的防备，又是没有攻击性的，我觉得这就是我：总是下意识地与外界保持着距离。

做衣服就更讲究分寸了。人面对布料，与之对话，有太多要表达，但却懂得尊重它，与它呼应，给它空间，让它完成它自己的样子。

那么穿衣服呢，写作呢？事情的本质是相通的。换句话说，万事万物中蕴含的道理都是一样的，但是通往这个道理的路，并不通坦。

"看见事物的不同，我们成为了专家；看见事物的相同，我们成为了智者。"

唯愿我们都在路上。

唔，照片看上去我老了不少。人生四季各有其时，不放弃自己的人，每一季有每一季的好，我很好。希望我做的衣服，我写的字，能陪着我，陪着你们，慢慢变老。

三十岁的时候说，"谢天谢地，我还在成长"。如今三十四岁了，觉得成长二字换成"生长"更恰当，谢天谢地，我还在像一株植物那样生长。

因此，这本书也是一个女人的"生长之书"，是我这个"没有攻击性的，独立的女人"的生长之书。我只是写下我在生长的过程里看见的，思索的，经历的，我并不打算指导任何人的人生。每个人的人生都得每个人自己过。

假使能让读到这本书的你进入关于自我的沉思，身为写作者，觉得已经足够了。

书后还收录了几篇朋友们写我的文字，这不是"为了呈现一个立体的宁远"，而是在一本关于"女人的生长"的书里，友情是必然逃离不开的重要部分。或者，是我想向你们炫耀：看，我有多么棒的一群朋友。

至于爱情，我觉得爱情没什么可说的，爱情是个秘密。

目录

第四部分

第五部分

第六部分

后记

我理想中的生活的样子是这样的：世间
万物，花是花，草是草，你是你，我是
我。只有拥有了这样的自由，才是美。

我想要那种实实在在的感觉，享受专注做事情的
快乐，比如做一顿饭，泡一壶茶，做一件衣服，
一双鞋子。

手工：简单劳动可以让思想更加自由，人处在一种简单的琐碎中，心灵反而更放松。

一直相信质朴的就是高贵的，
要让物质拥有精神的含义。

不能改变世界，但至少可以努力不让世界
将自己改变。

第一部分

把时间浪费在美好的事物上

>>>

知道自己要去哪里，全世界都会为你让路

这世界有两种人，一种人从小就知道这辈子要成为什么样，知道自己要去哪里，这种人特别幸福。比如我有一位好朋友，他十岁就在作文大赛里获奖，二十岁就出诗集，他读很多书，他说这辈子写出一部了不起的小说就是他的梦想。

另一种人就是我这样，懵懵懂懂地往前走，哪儿有光就往哪儿去。这种人会辛苦一点，无奈一点，当然，也可能会丰富一点点。

有句话是这样说的：如果你知道了自己要去哪里，全世界都会为你让路。对于我来讲，真正有这种感觉，真正开始知道要去哪里，是在大约三十岁的时候了。

一边走一边摔跤，一边总结一边调整，做很多事，慢慢成长，慢慢找到一点方向，慢慢开始坚定。

很小的时候我个子矮，坐第一排，特别听老师话，老被班里同学欺

负，那个时候爱读书的学生是不招小朋友待见的。长大一点了才明白，要想扎进人堆里就得同流合污，于是做出一个坏孩子的样子，和大家疯玩儿，跟老师吵架，深夜和小伙伴一起偷邻居家地里的甘蔗，一边偷东西还一边骂人，不告诉任何人其实被吓得尿了裤子。

拧巴的人生应该就是从那个时候开始的。

再大一点，初二那年我突然就比班里所有的女生高了，比我同桌的男生还高，又瘦，站哪儿都一眼就能认出来。那个时候我见着比自己矮的男生总是很不好意思，跟人说话都是一副抱歉的样子，身体垮下来，头埋着。

总怕跟人不一样，总想在一个群体里得到认同，淹没在人群里才会有安全感，从来没有坚定过这一辈子要成为怎样的人，不知道自己要去哪里。

三十岁之前的人生，我有很多朋友，会处事，待人热情，宽容，善良，周到，周全……就差八面玲珑了。这些差不多是别人对我的评价，好像也是我乐于接受的评价。但我究竟要去哪里？不知道。

读书，打工，做导游，当演员，考研，上讲台，进电视台，做记者，做编导，做主持人，做制片人……三十岁之前这些词语构成了我的生活轨迹。做导游的时候我还是学生，进电视台的时候我是老师，在讲台上我仍然是个主持人，我力所能及地做很多事，我足够聪明和努力，命运总是给我安排过多的选择，我总是按照大家给我的评价和定义去选择，去活着，周到，周全。

我不知道自己要去哪里，所有的选择都基于别人或者我想象中的别人希望我成为的样子，我把那个自我深深掩埋。

每个人都是一座孤岛，你必须学会融入才不至于看起来那么寂寞，你必须学会这个世界上那些看得见看不见的规则，在"做自己"和"取悦他人"之间找到平衡。——很长时间，我对这努力经营出来的样子感到满意，但内心很清楚，这不是生活的真相。直到开始做裁缝，做个手艺人，我才发现：不要去做那些对的事情，而是去做你真正想做的事情。然后，我进一步发现：能用自己喜欢的东西养活自己，还可以这么有乐趣，挺好。

知道自己要去哪里，全世界都会为你让路。

把时间浪费在美好的事物上

"年纪越大，我越知道当个手艺人的好，只用打磨自己，只用做好份内事，无需讨好，无需谄媚，无需看人脸色。"古人说，无需黄金万贯，只需一技在手。做个堂堂正正的手艺人，更理直气壮，心安理得。

我依然害羞，敏感，任性，冲动，越活越像小时候，总是把时间浪费在自认为美好的事情上，相信所有微小的细节才是生活的本质。我只有躲在自己本性里时才是最舒服的。常常累得不行了，回到家还是舍不得休息。读书，做手工，种花，给家人做一顿可口的饭菜，这些在别人看来可有可无的事情对我却异常重要。有朋友问，你怎么那么好的精力啊，工作已经很累了，还做这么多别的事。他们不知道，人做着自己喜欢的事成为自己想成为的样子是不会感觉到累的。就像没有一个沉迷于电脑游戏的人会觉得打游戏累。

几块碎花布，在你的拼接下会变成让人惊讶的模样，飞针走线里，它们开始生动，开始有自己的风格和气质，开始拥有精神的含义。一颗植物的种子，埋进土里就会慢慢生根发芽，你给它浇水施肥它就能慢慢长成你希望的样子。这些琐碎的过程在我看来，美好得很。在简单的手工劳动里，可以和自己对话，与自己相处。安住自己。

2009年我怀孕了，在那段长长的时间里，手工占据了我大部分的生活，那时候我喜欢上了拼布，找来各种碎布头，把它们缝成我想要的样子，常常缝着缝着，一抬头，天就暗下来了。

从那时起，我的生活就和手工有了亲密的关系，到现在，就像渴了要喝水，饿了要吃饭。

有人说，"忙"字拆开来看就是"亡心"，人一忙，心就没了。也有人说忙就是盲，忙起来，眼睛就看不见了，所以，手工多好啊，它让你慢下来，让你有时间"养心"，"养身"，"养生活"，让你有时间去"看见"。做手工的过程中，你必须是心平气和的，你不能急，当然，如果你爱做手工，你就是心平气和的，你也不会急。所以，如果你真心去做，你就会丢失"快"，得到"慢"。

我们生活在一个多么匆忙的世界，如果不是被这手中的小物件吸引，还真难找到一段你独自面对自己的时间，沉下心来让身体投入到一项简单劳动中，精神就会得到放松。

一切发生得那么自然。某一天，我突然想要一双鞋子，一双小时候一直想要但却得不到的丁字皮鞋。逛遍了商场也找不到那种原始的不花哨的丁字皮鞋，在我的想象中它散发着童年的味道原始的气息。得不到我就把它画在纸上，后来经过乡下一家皮鞋作坊，我走进去问那个正在埋头做鞋的师傅，你能帮我做出来吗？他看了看我递过去的图画，说，这个多简单啊。

无数次的沟通后，我想象中的鞋子终于摆在了我的面前，而这双鞋子从一个想法到图纸到最后成品的过程也被我用文字和图片呈现在了网络上。我惊讶地发现，在这个世界的角角落落，居然也有人和我一样，想要一双这样的皮鞋。你要知道，在我真实的周遭的生活里，大家对我做出这样一双鞋子完全是不以为然的态度，大多数人并不需要这样一双没有装饰，也不流行也不时尚的鞋子。网络那么大，世界那么小，我凭借着这双丁字皮鞋寻找到了同类。你是谁，就会遇见谁。

除了做鞋子，我还做衣服，所有我做出来的东西，首先是我自己想要的，我不用取悦任何人。但是，必然的，这世界还有很多人和我一样。

以前，我想让自己淹没在人群里获得认同，而如今做手工让我明白，寻找安全感的方法可以有很多，但最可靠的是：内心的坚定和从容。判断和取舍人和事物的标准也超级简单——有益身心。

"在手艺人里，人生都很慢，一辈子做好一件事，一生只爱一个人。一辈子总是还得让一些善意执念推着向前，我们因此能愿意去听从内心的安排。专注做点东西，至少，对得起光阴岁月。"

生活的美好，就是和喜欢的一切在一起。

只想做个认真过日子的人

《岛屿书》里有一句话，"没有什么比自我选择的孤独更能解放人了"，回想这几年，我的生活正是在不断后退，退到了日子的深处。

脑子里闪过过去几年的点点滴滴，觉得好，好得"世事皆可原谅，但不知原谅什么"。

我把家里几大箱礼服和正装还有一大堆化妆用具打包送人，离开了电视台。然后，我向我工作了十年的大学递交了辞职书，从此成为名副其实的个体户。

我逐渐从一个主持人、教师，变成现在这样，每天面对电脑面对画纸面对成堆的布料会画图会写字会做衣服的裁缝。写想写的字，做喜欢的衣服。我开着一家淘宝店，卖自己工作室设计制作的衣服和鞋子，赚钱养活自己。我想这就是我一直想要的生活。

收到一个女孩子发来的邮件，她说：

已经悄悄地看着你好多年，从地震，从最美主播，从宝宝，从一本书，从湖南台，从阳光房，从爱与坚守，从跌倒到仰起头，给我们一个笑意盈盈。初识你，是我自认为最悲观的时候，其实也是最小女孩，最弱不禁风的时候，是你让我看见，原来这世上还有一个女子在那么努力地向着阳光走去，从简单到繁复，又终究回归简单。可以说这几年也是我成长的几年，我和你年龄相仿，好多次是你给我活着并好好活着，快乐活着的勇气和信心，想到就说到哪里，只是想说，谢谢你，真的，谢谢你的坚持，爱与平常。

坚持，爱与平常。我想这几个字是对我人生的祝福。我没有她说的那么好，但会努力做到不辜负。我与她不相识，但相较那些饭局上，活动上，应酬交际中的"熟人"，我们更懂得彼此。

带女儿参加幼儿园举办的亲子游园活动，领到一张卡片，在卡片上盖满八个章就可以领到最大的礼物，操场上有八个游戏点，做完一个游戏就能盖上一个章。家长们带着孩子在各个游戏间穿梭，"快点快点，加油加油"，周围全是这声音。女儿却不愿意加入这些游戏，她就坐在操场的边上认真而享受地看着这热闹的场面，我不催她，就这么坐着，和她一起看，慢慢觉得其实坐在这里当个旁观者也很好啊。女儿的内心比我小时候强大多了，她没那么容易被挟持。

这世界是那么丰富，有些人把日子过成段子，有的人把生活当成舞台自己就是演员，还有人怀抱理想努力奋斗让人仰望，可是，也需要有人躲在角落做一个认真过日子的人吧，我愿意是那个安静的听众，听自己，也听世界。

我理想中的生活的样子是这样的：世间万物，花是花，草是草，你是你，我是我。只有拥有了这样的自由，才是美。

自由不是你想成为什么你就能成为什么，而是，你不想成为什么的时候，你就可以不成为什么。

我的生活圈子越来越小，我不再出门奔赴一场又一场的聚会，不用说自己不想说的话，不用刻意经营关系，不用在焦虑中入睡，然后被闹钟唤醒。

"生活就是要贴着自己的性情走，你是什么人就拿什么腔调，别跟别人去凑热闹。凑热闹，热闹终归不是你的。不眼红别人，不抱怨自己，走一条自己的路，越是安静，越是能听到自己与外界召唤灵魂的声音。"

用生命的姿态去追求有美感的人生

"她站在那儿，用确定的但又是轻微的声音和我说话，她纤细的手指轻拈桌上的尘土，她聆听，清扫，她与她身上的那件淡蓝衣衫达成默契，彼此相信，她用她特有的步调走过去，坐在窗前写一封信……她的生命状态，她整个的人生就像是一件作品。"

——这是我曾经写过的一个女人，是我梦想中最美好的女人的样子，"她整个的人生就像是一件作品"，这是我能想到的对一个女人的最高评价。这句话的意思是说，就像画家用画笔在白纸上作画，歌手在台上演唱，设计师用面料搭建衣裳，而总有一类人，在用他们的整个人生作为材料和工具，不断呈现着一件流动中的好作品。

这句话突然在今天想起，也提醒了我，如果我们每个人都去追求一种有美感的人生，而不是世俗的所谓成功和幸福，那么，每一个人都可能是艺术家：你的作品就是你的生命状态。

很多人问我梦想是什么，这是个特别不好回答的问题，想通上面这个意思之后，我试着可以作如下解释了：我的梦想就是把每一时刻的自己照顾好安顿好，尽量让人生变成一件作品，而不是产品。

追求有美感的人生，懂得节制和分寸，在各种事物之间找寻平衡点。

节制和分寸，不要以为只有在减肥者面对食物时才需要，事实上，终其一生我们都在寻求分寸感。尤其在当下这样一个散乱的世界里，你要时刻提醒才能做到对过盛的物质保有适可而止的态度，同时，面对各种碎片化信息你还得保持警惕不让它们入侵了你真实的生活，这些，都是分寸。

冈仓天心在《茶之书》里写："盖日常生活的庸碌平凡里，也存在着美好——对这种美感的仰慕，就是茶道萌生的源由。在纯粹洁净中有着和谐融洽，以及主人与宾客礼尚往来的微妙交流，还有依循社会规范行止而退，而油然生出的浪漫主义情怀，这些都是茶道的无言教诲。本质上，茶道是一种对'残缺'的崇拜，是在我们都明白不可能完美的生命中，为了成就某种可能的完美，进行的温柔试探。"茶道如此，艺术何尝不是？人生亦作如是观。

没有谁的人生是完美的，但追求完美的姿态却可以变成美。这听起来有点宿命的悲伤，悲伤就对了，适当的悲伤也是美的一部分，它也让我们懂得快乐之为何物。

丑人多作怪，不是说长得难看的人同时会做让人讨厌的事，而是，如果一个人不具备最基本的审美力，那么他做的其他事也可能漂亮不到哪里去。这个看法根深蒂固，以至于影响到了我对很多事物的评价，比如给孩子选绘本，往往只看封面就能确定要不要买，封面的美丑决定了我对文字风格，故事涵义等等一切判断。再比如，我删掉了几个订阅的文学类公众微信号，原因不是他们的内容差，而是我受不了他们粗糙的排版进而失去了阅读的欲望。还有，我曾经碰见过一个诗人，他完全不符合我对诗人的想象，后来我读到他的诗，果然不是我认为的好作品。

美是一种道德和礼貌，你有责任营造一个美的环境和自身，这是你对自己的需要，也是世界对一个人的基本要求，美是责任。

什么是美？这个问题不同的人有不同的回答，在我看来，花儿开了，小草绿了，天是蓝的，水是清的，小朋友看见一只小鸟从天空飞过会冒感叹词，你用一上午的时间默默清扫房间，隔壁大爷清晨背着手从窗前走过唱起小曲……这些都是美的。美在具体而又微小的事物中，美通过细节呈现宏大，从而让某种感情或精神走向永恒。

选取你觉得有意思的美好的东西组成自己的生活。

美，是漂亮，就是你这一辈子必须活得漂亮。活得漂亮，就是活得讲究一些，活得认真、专注一些，活得是自己并且活出自己。

我想这就叫坚定

执着于一件事情，往深处行才能从中获得生命的广度和深度，这是我过去几十年的人生一直没有意识到的。我总是面临太多的选择，在选择面前一度认为自己是幸运的，为此得意。可是，过多的选择和机会就会更好吗？

我们常常会发现，身边那些有力量的人，他们往往并不拥有世俗意义上的优秀，他们有很多毛病，他们没有过多的选择，只是生活选择了他们成为什么样的人，而他们稳稳地接住了这被动的选择，从而开始主动地努力和慢慢地获得。

相反，那些拥有过多资源和机会的人，一辈子左顾右盼，在鲜花和掌声里渐渐地迷失了自己。

我说的是有力量，不是世俗意义的成功。是每天临睡前可以平静安宁地对自己说一声：今天，我对自己满意。

在藏传佛教里，活佛的遴选有很多步骤，其中一个是拿一堆物品在有可能是转世灵童的面前，让灵童自选，灵童会在一堆物品中选择那个多半是最不起眼的物品，那是他前世旧物。以此确定，他就是他。

我们不是活佛，我们都是一个又一个的普通人，但是人生的选择与放弃，谁都需要面对。

面临的选择过多，或者你选择了过多的东西，其实是不会有满足感和幸福的，这个时候你只看得见欲望，而欲望怎么可能填得满呢？

越长大才越明白，投入到一件事情里去，哪怕偏执哪怕不被理解哪怕孤独，幸福是会从那一件事的深处开出花儿来的。

到现在，每当我面临选择的时候，我都会问自己：这个选择是不是我可以承担的，是不是和我本来的性格相符的，会不会影响我目前在做的事情，能不能让我的生命更完整？如果这四个问题的答案都是肯定的，那我会毫不犹豫地去做，反之，我会果断舍弃。

而且，慢慢地这样做了，就会惊讶地发现：你越来越不需要做出选择了，人生正在向你呈现出不需要选择的道路，那条路就在那里，你只需要往前走就好。

我想这就叫坚定。

越来越接近自己想要的样子

真是不可思议啊，活着活着就活成今天这个样子了。

冥冥中一定有一股力量把我拽到了今天，上天给每个人不同的使命和任务，这儿撞一撞那儿碰一碰，你以为不公平呢，你以为老天给你开玩笑呢，其实呢，所有的遭遇都是为了让你朝一个方向去，只是你不知道那个方向通往哪里而已，没关系，上天知道，命运知道。

啊呀，是有好多话想说，但是又不知道怎么说，那些感觉到的，直觉到的东西，文字是说不出来的，是长在身体里的，在每一个毛孔里窜进窜出的，所以会有诗歌啊，能写诗的人真幸福。

比任何时候都更渴望秋天的到来，人只要有了盼望，日子就那么漫长，是甜蜜的漫长。可是，秋天有秋天的好，秋天过去，有过去的好。为了心中的美好，不妥协直到变老。

我就是要慢慢地过日子，每一天都长长的，只是盼望，不是有什么目的的，不是期待，没有期待。

活在细节里，不是目的里。

比如，做一件很满意的衣服。

比如，我还在写字。

因为做过太多的事情，常被人说我做事情全凭兴趣，率性而为，是个没有耐心和恒心的人。开了几年农家乐，转了，做了几年主持人，辞了，教了十年书也想离开了，身边最亲近的朋友都这样定义我，我自己有时候都快以为我就是这样的人了。

但，不是。

因为内心有坚持，因为对自己有要求，因为从未放弃成长，因为要保持灵魂的干净，所以会有很多外部世界的调整和变化。因为想不变，所以看起来我总在变。

变去变来，不过是想守住一些自认为应该守住的东西。

活在细节里而不是目的里，那些为爱所付出的代价，是永远都难忘的啊。

人生只有一件事情——按照自己的意愿生活。

心中有笃定，就会获得安宁

也许你不相信，我是个嘴笨的人，一些特别的情感总是不知如何用语言来表达，我的意思是指那种简单的表达，比如跟想感谢的人说谢谢，比如犯了错误说对不起，比如感动的时候跟对方说我很感动，比如想对所有来到阳光房的姑娘们说点什么，但说不出来。

我常常会想，是怎样的一些人才会在阳光房停留呢？看到每天一两千的点击，会忍不住去猜想这背后的一张张表情，我想，你们大约也和我一样，认认真真地活在自己的世界里，也许话多也许话不多，那要看碰到什么样的人。

有个姑娘私信告诉我，她一直买我家的衣服，即使不买，每天打开看看也觉得是安慰，她说，你要坚持下去，像现在这样坚持下去，用心做东西，我承认我看到这个的时候流泪了。

信念不是改变什么，而是相信什么，并往前走。我知道我相信的东西是与这个匆忙的世界相反的，阳光房总是小众的，但，它一直在那里，一直会有人喜欢它，哪怕只剩下一个人喜欢它，我也会坚持。

心中有一份笃定，就会获得安宁。

第二部分

从此我混裁缝圈，
可以带刀走江湖
>>>

从此我混裁缝圈，可以带刀走江湖

工作室招裁缝，来了位鸭舌帽大叔，面试做一件衬衣，临走时问了他家里情况，留下话过两天等通知。他出门五分钟后返回：那个，老板，刚才你问我老婆是做啥子的，我说她走了，不是跟别人跑了喔，是走了，就是死了哈。说完咬嘴唇转身离开，留我一人杵在原地。几秒钟后回过神来，心想就是他了。

第二天大叔主动打来电话：老板，你考虑好要我没有呢？要的话，我得先跟你说，年前不行了哈，我马上要去女儿家帮她带孩子，过完年三月份才来哦。

好吧，我说大叔你一定要来哈，我等得起。我知他一定会来，是经验和直觉让我有这样的确定。我认识好多好裁缝，他们都有属于这一行的特殊的气息，这位鸭舌帽大叔就拥有这气息。

做衣服、鞋子以来，每天在成堆的面料和图纸里翻腾，身边围绕的都是这些简单、认真又执拗的人。

皮鞋作坊刘师傅送货来了，熊抱一摞没过头顶的鞋盒子，鞋盒子后面那颗脑袋从旁边伸出来，四六分的黑头发掉下一缕遮住一只眼睛，一咧嘴，一颗白得不真实的假牙突兀出来。他也叫我老板，声音大得能把天花板上的灰尘抖落：哎，老板，这次的皮孩莫话说，好得很。

我一双双检查，抽出其中一双：这双鞋帮不一样高，上次就退你了，怎么又来？他笑得尴尬：哈啊，你眼睛尖，退！这位打过无数次交道的皮鞋匠，即便耍点小聪明，也还是真诚的。

第一次找刘师傅做鞋子，我抱着女儿小练进他作坊，他就在堆满鞋楦的小屋子里翻腾，一边招呼我一边按住头顶架子上就要掉下来的皮料。他一开口小练就哭了，她从没见过这般说话像吵架的人。——用音量高低来表达对一个人的热情，这原始而直接的方式，是粗俗的人情味儿。

做皮包的花哥是生意人也是手艺人，有手艺人对自己专业的坚持和骄傲。冬天开始的时候找他做两款皮包，图纸拿过去，好说歹说他也不做，理由是：老板你也给我搞个难度高点的嘛，太莫得挑战了。

有一回约了花哥去皮料市场找材料，一上车他就鼾声如雷，下车看到好皮料却两眼放光。回来路上和他聊天，问他赚了钱最想做什么，他回答得干脆：当然是买房子，然后租出去。我问再然后呢？他愣了一下：哦，钱多了又买房子租出去……

花哥总那么用力地活着，他这两年真买了两套房子，真租了出去，他自己一家却租住在更便宜的房子里。每天他坐在作坊工作台前缝皮料，总是嘴巴咬得歪向一边，眼睛鼓起来，眉头收紧，他那个投入生活的样子总给我一个错觉——好像随时都在默念：日子过完一天就真的不会回来了。其实他没有想吧，连想这些的时间都不舍得吧。

做衣服第二年，我们自己的工人做不过来了，找一家小厂合作。厂长穿西装打领带提个公文包来工作室谈生意，一进门就递上名片，一听我们的量转身就走（那时我们一款衣服差不多做五十件，这家厂最低要求是单件上五百），我弟弟追到门口递给他一个纸袋子，里面装了一瓶白酒和我的一本书。

第二天厂长主动回话说，专门安排两名工人为我们做。一来二去大家混熟了，我问他当初怎么又愿意了，他说，我看到你写的那本书。呀，我说你看了吗？他说没看，就是看到了，看到了你是个写书的嘛。他在生意里精于算计，却对写书人有最简单的相信。

工作室的服装制版师也是因为面试时见我一屋子的书才留下来的，"读书人总不至于拖欠工资"，他说他当初这么想。

服装制版是个技术活儿，师傅做了十几年的车工和裁缝才升级成版师，他显然看不起我这个整天画图的设计师（等于是光说不练），每次给他一个款就指手画脚，这儿不行那儿不对。有一天把我惹火了，拿起剪刀三下两下剪出了冬天那款肩部有折子的小花裙——他之前一直抱怨那个折子没法实现。还没等他反应过来，我拿着这堆剪好的布坐在缝纫车前。我说，你，过来，我做给你看。

小花裙做出来了，版师一把抓过拿在手里，翻过去翻过来，嘟囔着：嗯哦，要得，把肩膀再挑起来点……

衣厂的厂长来取布料和样衣，和版师因为一个细节上的沟通吵了起来，声音盖过版房内机器的嘶鸣，车工们吓得大气不敢出，我从里屋走出来，一跺脚一拍桌：给老子闭嘴！

那气沉丹田后发出的声音，不但把他们震住，把我自己也惊着了。我身上那点文艺女青年的小清新小情调瞬间灰飞烟灭，生活的粗糙的质感，就这么显现出来。

从此我混裁缝圈，可以带刀走江湖。

对一切靠手艺生活的人充满敬意

整整一个月，工作室弥漫着木头的香味。是木头本身的香味，不是某一种特殊木料的特殊香味，这香味干冽清爽又直接，通过满地的木屑和刨花散布出来，塞满了整栋小楼。

工作室搬了新地方，一楼要做成公共空间，看了好多家具卖场都找不到想象中的样子，于是画了图请来木工，整个一楼就成了临时的工房。

坐在二楼办公室，能听到木头被锯开的声音，打榫头的声音，刨平木头表面的声音，抛光的声音……这所有的声音汇集在一起。这混合的时有时无的声音以及属于木头的本身的香味让人安定，尤其在雨天，有"甜蜜而古老的暖意"。

两位木匠，一老一少，都沉默，他们每天待在一楼低头做事，在一堆木料和刀器之间劳作。人把注意力集中在手里的事物上，语言就显得多余了，这沉默让我对他们的技术有了最基本的信任，我有偏见，很难想象一个能说会道的人会同时是一个好匠人。

这沉默，也是手艺人的尊严。

对一切依靠手艺生活的人充满敬意，"不管世界如何糟糕，努力的人总有获得"，这句话放在匠人身上是一定的。"匠人"在日本称为"职人"，江户时代对职人就有"职人气质"的描述，"职人气质"意味着工匠的性情多半倔强、偏执，同时也是对他们专注、勤劳的人格魅力的肯定。

找到这两位木匠花了不少工夫，在一个一切讲求效率和发展的世界里，少有沉下心来低头做事的人。要知道，我需要的是能做出一整套家具的木匠，而不是家具厂里流水线上的一个工种。后者随处可见，他们可能待在一家工厂里，工作六年八年，年复一年只做一件事情，也只会做一件事情，比如，给木头喷漆，或者钉钉子。这是现代化的流水线，人的身体正成为机器的一部分。

人一旦成为机械化中的一环，身体与内心的感知就会分离，在这样的过程里，人不会快乐（准确地说是不能从眼前的劳作里得到身心合一的快乐），生产出来的东西可能"标准"，却没有时间与情感的堆积。正因为如此，我们的服装工作室一直反对流水线上的成衣制作，所有的车工必须学会独立完成一件衣服，而不是只会锁扣眼或者剪线头。

日本作家盐野米松说："传统的劳作需要身体、思维和体验的共同参与，全身心地在这个过程中。从事传统手作，需要让你的身体先恢复到能够做手艺的状态，就像骑自行车，这项技艺无法通过书本习得，一定得靠身体来记住这项技能，这是一个记忆的过程。愉快的感受一定和记忆有关，手艺帮助我们建立与记忆的关系。"

小时候特别羡慕班里一个木匠的孩子，因为他手里总有各种好玩的木头玩具，那是他的父亲用废弃的木料信手做的，可能是一个弹弓，也可能是一把手枪，或者一个可以装橡皮筋的小木盒，总之是全天下独一无二的存在。你能想象，那个父亲在制作这些小物件时那种满满的期待和全心的参与。有情感投射的器物自然有让人亲近的气质，所以，不管是怎样笨拙的一件玩具，它都是刚刚好的样子，与那些商店里陈列的五颜六色的塑料玩具自然有本质的不同。

"她是木匠的女儿，不爱讲话。"很长时间以来对这句话着迷，我会把它想象成一部长篇小说的开头，那个木匠的女儿，她扎着两条又黑又长的辫子，嘴角上翘，倔强地歪着头。她坐在父亲工地上的木屑堆里抬起一张有几粒雀斑的脸望着天空发呆，所有的故事由此展开……

写字、做衣服，我喜欢这样的日子

回成都，赶着"远远的阳光房"上新，所有的款式在离开之前就全部定稿，但从想法到可以触摸的衣服，这个过程是漫长的，感谢我们的团队。

这次的新品全部是阳光房原创，我们的设计我们的做工，一件一件做出来。今天在阳光房，看到慧子给新衣服锁扣眼，客人们有些不可思议，原来衣服真的是这么一点点做出来的。

"远远的阳光房"不知不觉就做成了现在的样子，慢慢有了一套属于我们的流程，慢慢感觉到压力，也慢慢看到更多希望。做事情就是这样，一开始想得很美好，做的过程会有烦恼，很多很多的烦恼，也有摇摆和质疑，但是一回头，一路上那么多收获，友情，经历，克服困难的快乐……于是又变得坚定些。

有个女孩子给我发私信，说她想开家花店，但是又怕离开现在的单位会失去安全感，我跟她说：自己做事是有风险的，这个风险包括：经营的风险；梦想在实现过程中被繁杂事务磨灭掉激情的风险。在我看来，第二个风险对人的考验更大，对人生的损伤也更大。

我现在也在时刻提醒自己，要对第二点保持警惕，什么时候有敷衍了有懈怠了，就会警觉。嗯，那句老话很有用：想想当初是为什么出发的。

是谁说过：任何一种生活过久了都是一样的，不同的是每个人在心里经历的东西。

整理了下最近两月阳光房的原创衣服，每一件衣服都经历了这些：提出想法，画图，找布，制版，修改，生产，拍照……每一步，走得踏踏实实的。

以前从未想过会把做衣服当做一件正经的事来做，至多只是玩玩，这么玩着，又有阳光房家族陪我玩，还就真有点样子了。

我本是这样一个人：兴趣太广，什么都想试试，想到了就真的会去做，但做不到深入，什么都通，样样松。

直到今天，做衣服、写字，似乎有点方向了，觉得应该往里再走，沉下去。

最近的生活也是，朋友间的交往少了（好朋友还在），每天和孩子相处，然后就是写字读书做衣服，上午在家，下午在西村。集中，投入，我要学会这样做事，这样过日子。做了半年的衣服，突然对设计感兴趣了，非常。

虽说做的衣服也好鞋子也好，多少有些自己的想法在里头，但总觉得那些基于满足功能之余的小小尝试和改变根本谈不上设计，印象中，设计是要画图啊上色啊计算啊，是要做加法，是要有所谓的创新的，而我本能地在一开始就抛弃了这些，我想，我只是想做最简单的衣服。

也就是说，我不过是在做减法。把那些装饰去掉，把那些风格去掉，老老实实地，简朴地做纯粹的衣服，忠于布料（材料），展现属于它本来的美。

忠于布料，嗯，这感觉让我想到日本菜，用最简单的烹饪方法展现食材本身的味道，而川菜呢，大多数菜品是把各种食材混合在一起，产生碰撞之后刺激味蕾，当然也不好说是哪个更好。

再回到设计，问题就来了，只是做减法，只是把材料本身的美展示出来，算不算设计？

好像又不是简单的减法，总是希望通过减法向买衣服的人传递一些我的意图，在一个纷乱的色彩过多装饰过多的世界，通过减法，我想我是有话要说甚至不吐不快的。

那么是不是可以说，如果减法能达到表达某种主张的目的，那它本质上也是一种设计？

做事情永远想如何能"不做什么"，专注减法。学东西永远想如何能"再做点什么"，专注加法。

扎实、精进地往前做，往前走，把目的放下，会有一种自然的方向感带你到应该去的地方。

执着于一件事情往深处行，
幸福会开出花来。

无论世界如何变，认真做事的
人总会有回报的，只要你不奢
望太多。

先把自己点亮，才能给别人带来光。

每个人都是一座孤岛，你必须学会融入才不
至于看起来那么寂寞，你必须学会这个世界
上那些看得见看不见的规则，在"做自己"
和"取悦他人"之间找到平衡。

我们仍然选择用我们真
诚的方式去面对生活，
拥抱生活，尽管有时
候，傻傻的。

再没有一件事物能像衣服这样，简单直接地展现一个人的爱好、素养、文化、性格，等等。

总有一类人，在用他们的整个人
生作为材料和工具，在不断呈现
着一件流动中的好作品。

选面料，画图，做衣服，修改，试穿，再修改……做这一切很多时候就是跟自己死磕。

"就像人一样，布料也有自己的生命，生长并老去。当布料被放上个一两年，历经自然收缩，才显露它本来的魅力。即使一根线，也要注入生命。……无论哪个领域，对存在这个最本质的问题不抱任何疑问的人，是无法创作出东西来的。"

人们总是更热爱时间、情感堆积起来的
东西，找到精神层面的满足。

在简单的手工里，和自己相处

我理想中美好的一天是这样开始的：早晨自然醒来，整理完毕，泡一杯咖啡，这一天没有特别需要做的事，书架上随意拿出一本书，读几页，在房间里走来走去，发发呆，然后就坐下来，坐在我的手工工作台前，拿出我珍爱的印花布，开始构思：今天，我得缝个什么样的小东西？这个东西适合送给谁？

这个时候，面对手中的小活计，我深切体味到物质世界所包含的精神的美。让每一件手工作品富有精神的含义，"用精神的钥匙来开物质世界的门"，我觉得那门内的世界，美好得就像初恋。

我人生的第一件手工作品是给我外公织的一条裤腰带。用两根竹签削成的棒针作工具，材料是我妈的一件旧毛衣拆下的线头，我本想给自己织一根发带的，但是不会收针，只会往前织啊织，早上我妈给我起好针她就出门了，我从早上开始织，织到下午我妈也没回家，那根发带就自动升级成了很长很长的裤带。

那根裤腰带，我外公用了好多年。

上大学的时候，流行给男朋友织围巾，寝室熄灯后，整个楼道里坐满了手捧毛线的女孩，大家安安静静静坐在微弱的楼道灯下，捧棒针的双手摆在胸前，摆成一个虔诚的姿态，一针一针地织着，偶尔会听到一声棒针掉到水泥地上的声音，叮咛咛咛咛——，那声音穿过安静的走廊，像极了女孩们心中细细密密的小心思。

我没有男朋友，躺在床上和同样没有男朋友的小梅聊天，聊将来找个怎样的男人，聊着聊着，门开了，一个脑袋探进来：亲爱的，帮帮忙啊，我掉针了。

——没有男朋友，但是我的手工技术绝对可以当女孩子们的老师。那个时候，班里差不多每个女孩子送给各自男朋友的围巾里都有我的功劳：起针、收针、加针、减针、勾花，或者有人织到不想织了，我帮她们收拾烂尾工程。

因为会玩手工，我常被人冠以"勤劳"、"温柔贤惠"等等诸如此类的美名，这实在是个天大的误解，我只是喜欢玩，兴趣所在，这和有人喜欢打游戏有人喜欢逛街有人喜欢搓麻将是完全一样的道理。只是玩着玩着，就像文章开头说的那样，似乎找到了内在的精神的含义，有些什么珍贵的东西被唤醒了，觉得这一切，更好玩了。

因为"手工"总是和劳动相连，而在很多人的印象里，劳动总是需要勤奋、辛苦的，需要不断学习，不是"玩"的。就像小时候我很不喜欢而老师总是放在嘴边的一句话：书山有路勤为径，学海无涯苦作舟。为什么是苦呢？如果这话改成"书山有路玩为径"或者"学海无涯乐作舟"，是不是爱学习的孩子会多一点呢？

这个世界有太多不正常的事情发生，所以那些正常的普通的事情反倒显得特别了，比如做手工。最近看到王小峰在博客上说："今天，人们做什么都会自然地跟目的挂钩，背后是一些功利性的驱使，衡量很多东西的标准是商业利益或是社会认知度。而人本身该具备的很多东西，都在这种标准下消失了。玩物才能尚智。"

玩物才能尚智，这话说得好。而且你不得不承认，简单劳动可以让思想更加自由，人处在一种简单的琐碎中，心灵反而更放松，精神世界的升华不一定是读了多少书、走了多少路就能完成的。有时候走过田间，看到那些在土地上自由劳作的老农民，他们脸上呈现的智慧，他们口中说出的那种直白、深刻、和土地相连的话语，总让我心生敬畏。

常有人问我，你怎么会有时间做手工呢？

仔细想想，"没有时间"实在是个很虚无的理由，关键在于你想不想去做，愿不愿意把大把时间"浪费"在你认为美好的事物上。几块碎花布，在你的拼接下变成让人惊讶的模样，飞针走线里，它们开始生动，开始有自己的风格和气质。这过程在我看来，美好得很。

人到了一定年龄，开始更在乎自己的内心，开始去思考那些年轻时来不及思考的问题，喜欢一个人静静生活，少了抱怨和解释，多了沉默和孤独，甚至妥协。所以，喜欢在简单的手工劳动里，和自己对话，与自己相处。

我是这样来解释自己和手工的关系。

我们生活在一个散乱又匆忙的世界，如果不是被这手中的小物件吸引，还真难找到一段独自面对自己的时间。沉下心来让身体投入到一项简单劳动中，精神就会得到放松。

过去这半年，我的人生经历了不小的变动，在最艰难的时刻，我选择拿起画笔，在布上涂抹（这也是手工），我给自己画了一片油菜花地，两朵玫瑰，一瓶百合，在画的过程中，那些花呀草呀安慰了我，渐渐没有了焦虑。

有一天我突然特别想要一双鞋子，一双小时候我梦想拥有但一直未能如愿的丁字牛皮鞋，我把想象中的样子画出来，找到皮鞋店的师傅，跟他做了好多次艰难的沟通，终于一起做出了这双梦想中的鞋子。我把这双鞋子挂在网上，居然很多人也想要，我就为她们做，这就开起了网店，开始画更多的鞋子、衣服和包包，这件事让我快乐得不知所措。

我跟朋友们说，我现在是一个小手工业者了。小手工业者万岁。

做你喜欢的事。并且，穷尽一切可能把它做好。

我想为自己设计一双鞋子

在我们城乡结合部，时常会有意想不到的惊喜。

出门去逛，看到一家手工作坊，小店里摆满了皮鞋，那些皮鞋的款式很俗气，和其他商店里卖的工业产品是一样的（这可能是让老板自豪的一点吧）。但小店的里间就是个小作坊，这个小作坊证明，外面那些看上去像从流水线下来的标准的皮鞋真的是一双一双做出来的。有两个小工在灯下工作着，他们正把一张挺大的皮裁开，旁边的架子上摆放了好多双半成品。

我问老板，可以我画图，一双鞋子的图，你帮我照着图做出来吗？老板说，可以啊。

这就对了，我想为自己设计一双鞋子。

我想要一双舒服的，可以到处走的，能配我大多数衣服的，不太软也不太硬的，耐穿的鞋子。我从来没有在商店或者网店看到我想要的这双鞋子，老早我就在想，要是能自己做一双出来就好了。

现在，机会来了。

皮鞋店的刘师傅不在，我去店里问那个胖胖的女工，我的鞋还没做好啊？没做好，女工说。

本来做了一只出来，刘师傅说不对，要重做。

我的鞋和别的客人定的鞋不一样，因为是新画的图纸，没有现成的模具，要先把模具找到。找了一个不配，刘师傅说得重新做一个模具，于是上厂子里去了。真没想到一双简单的鞋会这么麻烦，都有些不好意思了。刘师傅真好。

一个想法，如果这双鞋做出来还不错，我决定开店卖设计的鞋子，这样刘师傅的模具是不是就不浪费了？可以做很多双嘛。

很早以前打算开个公益小店，现在放弃这种想法，就开一个小店，一个普通的小店，里面卖我的原创小品，喜欢且价格能承受就买，不喜欢也不会为了别的理由将就买下来。至于假如真能赚钱（一分也是赚嘛），我会把这些钱用在该用的地方。

当然，怎么用是我的自由，我爱自由。

从刘师傅手里拿到鞋了，和想象的差不多，小作坊制作的东西，总有什么和流水线下来的不一样。

其实款式相当简单，可能会让一些人失望，不过一开始就说了，我要的是最简单的鞋子，也谈不上什么设计，就是想象了一个样子，把它画出来（画得也不好），再去找师傅，给他看，跟他说，没事去他店里再盯着，最后就做成了。

我喜欢用时间和感情堆积起来的小玩意儿，我愿意把时间浪费在美好的事物上。

衣服的温度

再没有一件事物能像衣服这样，简单直接地展现一个人的爱好、素养、文化、性格等等了。

刚毕业那会儿喜欢穿职业套装，整天昂扬着身躯做人，潜意识里其实是特别希望得到承认，紧裹着身体的衣服也帮助呈现出一个紧张的我——不舒展，一副奋力讨好世界的样子。老实说，现在的我一点也不喜欢那时的自己。当然这并不是说我一并讨厌穿职业装的人，事实上，有很多人把职业装穿得漂亮又有尊严。

二十八九岁的时候，标配是匡威鞋+牛仔裤+短袖T，可能意识到年龄大了，特别想让自己看起来年轻，走在校园里有人把我当学生会暗自窃喜。

现在呢，穿衣服的第一位是舒服，取悦自己。喜欢穿得有趣，但不会让自己太出格，在细节上有追求，大的方面会考虑环境（比如出现在一群陌生人中时，不会让别人因为你的着装而诧异），分寸感，这很重要。

而身为一个做衣服的人，如果说对这世界还有野心，那就是希望衣服能在一定程度上影响人心，通过衣服告诉别人，你可以选择过这样一种生活。

我的衣柜里有几件保留了十多年并且每年都会拿出来穿几次的衣服，这几件衣服对我有不一样的意义。我穿上它们会有一种"活在这个世上有美好的人事可回忆特别踏实"的感觉。这些衣服中，有某位朋友在一个特别的时刻送的，有某次旅行途中买下的，也有自己织的。这些衣服印证了我对服装的理解：在物质世界里追求精神的含义。物质如果没有精神的投射，那它就只是物质，这就好像商场里一个两万块的名牌包包，它放在那里，它就只是个包包，我不了解这个品牌，它对我没有任何意义。

人与衣服之间能建立感情吗？答案是肯定的。设计师赋予衣服外在的形式，不同的人让衣服呈现不同的生动。

我固执地相信在一件衣服产生的过程里，从织布到裁剪到缝制，每一个细节，有心的人能让衣服拥有灵魂。也因此，工业化的流水线只能生产单纯的物质，只有手工才会让衣服获得温度。我工作室的同事，他们每个人都能独立制作一件成衣，这和那些待在工厂里可能永远只是在其中一个环节工作完全不同（比如给每件衣服缝扣子或者锁边）。后者是产业工人，而前者，我们叫他们匠人，或者职人。

学茶的时候老师为什么要求大家做那些就"泡茶"这个单纯的目的而言完全不需要的动作？在我看来，这是因为在这些动作里，你的心会静下来，你会更加珍惜眼前这道茶，你会在一种近似仪式感的自觉里找到人面对物的虔敬心。有心了，茶味自然不同。我相信衣服也是一样。

　　"生活一思索都是疑问，唱出来才是歌"。
不需要多大的梦想，只需要小小的心愿。设
定一个，然后一点一点接近它，我想每个人
都能找到灵魂在跳舞的感觉。

第三部分

会跳舞的灵魂

>>>

会跳舞的灵魂

十二岁那年的儿童节，城里文工团团长来到我们学校，在看完一段集体舞文艺表演之后，把我从人群里抓了出来：你愿意当舞蹈家吗？我们保送你去上舞蹈学校，不用你交学费，毕业来团里工作，天天跳舞。

必须承认那是小福滴人生里难得的"被上天眷顾得不知如何是好"的体验，回到家就奔走相告：我要当舞蹈家去了。

但是爸爸不同意。他觉得对于生长在一个偏僻小山村的女孩子来说，唯一的出路是读书。我是个听话的小姑娘。

继续傻傻地坐在教室里读书，也没觉得有什么不好。只是因为有了一次来自专业人士的肯定，舞蹈之于我，就总有些不一样的感情了。所有能利用的课余时间我差不多都在练功，排练，找老师学习。就这么一边上学一边跳着，跳进了大学。大学毕业之后就像突然断电一样，工作和生活都彻底和舞蹈没有了关系。

上个月猛然发现，已经有十多年没再跳了，突然特别想跳，而且想穿上自己做的衣服跳，这才又回到练功房。

第一天去的时候特别沮丧，完全找不到在音乐里飞起来的感觉，身体笨重得不听使唤，回家的路上难过得在车里哇哇大吼，心想虽然这十多年没跳，但对舞蹈的理解越来越深，身体怎么可以这么不配合呢。

第二天强迫自己继续，音乐响起，努力让每一个毛孔都投入进去，慢慢打开，跳到第五遍的时候，汗水一颗一颗滴答下来，身体解放，久违了的感觉，那个会跳舞的灵魂在慢慢醒来。

第三天，第四天，很多天，膝盖受伤又痊愈了，体重下降了……到昨天，终于走出排练厅，在一个大舞台上跳起了一支舞，并且穿着自己做的衣服，在与一块布的纠缠里挣脱，又投入。

这是我在过去的一个月给自己设定的一个小小心愿，完成这个心愿的感觉真是太好了。

海桑的诗里写：生活一思索都是疑问，唱出来才是歌。不需要多大的梦想，只需要小小的心愿。设定一个，然后一点一点接近它，我想每个人都能找到灵魂在跳舞的感觉。

比如现在，我新的心愿是要在下个月带两个孩子去旅行，我想我能做到。

也祝你每一天带着小小心愿上路。

我其实一直在跟这个世界较着劲

拿起剪刀给自己修剪了长得杂乱不像样的头发。已经一年多没进过理发店了。不知是从什么时候开始讨厌进理发店的，那种把自己的脑袋交给一个不认识不了解的人的感觉非常不好。更不用说去美容院什么什么的。

就像以前上节目的时候做妆发，如果没有熟悉的化妆师，我情愿自己抹，再不好看也不至于弄得不像自己，可有时候领导不让，就这么别别扭扭的，由别人安排自己成为不想成为的样子。现在回头看那个时候的自己，可怜又可气，还可笑。

我其实一直在跟这个世界较着劲。

我想要那种实实在在的感觉，享受专注做事情的快乐，比如做一顿饭，做一件衣服，一双鞋子。想要自己的每一点努力都呈现出应该的模样。哪怕这件事情在别人看来微不足道，可那是我做的，我想做的，做成了我想要的样子，就是好的。

任性么？算是吧。很多时候，我表面温和，内心倔强。只是想要这平平淡淡实实在在的每一天。

阳光房的客人渐渐多起来了，旺旺每天的"叮咚"声总是让大家既兴奋又紧张，一个朋友说，那些拍下你家衣服和鞋子的人是在用钱投票，要对得起她们的信任。哦，原来市场经济是真正的民主。这让我感到踏实。阳光房会一点点地去完善，首先做到让自己满意。

冬天，想做好多棉麻布衣，长的短的纯色的花布的，想法要一个个实现，要做真正的布衣，要让每件衣服生动。还要做有毛毛的皮鞋，温暖得像被爱人拥抱，请给我们多一些时间。

天冷，又到了不想离开被窝的季节。想起初中住校，和高年级混住，有个叫李燕秋的高三女生，常常在我的上铺朗诵：温暖的被窝，是埋葬青春的坟墓。墓字她用四川话念的MO，那么押韵好听。突然想念她和那段时光了，想念米易中学女生宿舍楼木板地面嘎吱嘎吱的声响。那时我才初一，十二三岁哪。记性好。

还有另一个高二的女孩，好喜欢唱歌，下定决心学美声，每天早起吊嗓子。第一天见面的时候，她说，我的名字很好记的，我姓徐，我的名字取自"凤毛麟角"，从此我们叫她徐毛角，其实她叫徐凤麟。

就是这样，过去的，记得的，都是好的。那些不好的，就让它在角落里慢慢消失吧。

享受这活着的感觉。

这世界总有人做着不需要被人理解的事

在夏天消逝之前，我摘下了院子里最后一只红番茄。

是红番茄，红在地里的红番茄，你们大约不知道，那些在市场上买到的绝大部分番茄，你看到它们是红的，但实际上，在它们还是青绿色的时候就离开了土地，离开了藤蔓，它们被装进箱子，运进城里，一个地方到另一个地方，等你们看到它们的时候，它们已经红了，它们不是红在枝头，而是红在疲惫的运输过程里。

如果你见过红在地里的番茄就会相信我说的话，这两种红，不一样的，地里的红番茄摘下来放进嘴里，味道也是不一样的，它们更甜，或者更酸。

我也只是想，白露过后，中秋之前，一只番茄从青绿变成红色的过程，很重要。

我家的花园早变成菜园了，这自然发生的由白到红，这春天到夏天再到初秋的盼望，这丰收的喜悦比种花或者别的什么事情给我带来的快乐要多得多。

除了番茄，还有南瓜、生姜、辣椒、小葱和玉米，这不到70平方的一楼小院，挤满了各种蔬菜。我是实用主义者。

不仅如此，两周前买来的红薯，有一只放在厨房角落忘记吃，发现的时候长出了嫩芽，干脆把它放在盘子里，每天浇水，又是两周过去，这就长成了我心里想要的样子：水培盆景。把它放在落地窗前，枝叶就倚靠在玻璃上，它们总是朝着屋外光的方向伸展，过两天，让它们转身，背阴的一面对着光，再过两天，这背阴的一面又伸展开来……

所有的植物，不管它们怎么长，总能长成我想要的样子。

白露过后，中秋之前，"且让我们再次照顾园圃，为花木浇水，它们皆已疲惫，即将凋谢，也许就在明天。而于世界再度疯狂，被枪炮声淹没之前，且让我们为一些美好的事物高兴，为之欣然歌唱"。这是黑塞的诗。

昨天在收获番茄的这小块土地上种下了芹菜和豌豆，在做这件事的时候，隐约传来漫天的呼号，这忽明忽暗的口号声是从城中心的大马路上传来的，这声音在这小方土地上没有产生任何影响，芹菜还是芹菜的样子，豌豆也还是圆的，一颗颗钻进细密的泥土里，而那些大自然里负责松土的蚯蚓也只是被我的锄头打扰。

越是这个时候，越能感觉到生命之渺小和卑微，也就安然去过这卑微而又自尊的生活。

可是，"生命是一种博大的东西"。

小说《海上钢琴师》里，那个世人无法理解的钢琴师1900，从出生那天起一直待在海上，从没离开过大船，有一天，1900终于鼓起勇气准备下船了，他走到第三级台阶的时候回望了大海，又转身回到了船上。"你在海上待了32年，从出生到现在，从不离开，为什么？现在又为什么想离开？为什么又要回来？"

……我只是想从陆地上看看大海，他说。他最终和大船一起消失在海里。也许海洋上的88个琴键在他的世界里比任何事情都更重要，也可能在没有学会与这个世界和平相处之前，这是最好的选择。他的一生就是这样，他凭借钢琴注视世界，并获取了它的灵魂。

这世界总有人在做着不需要被人理解的事。

这是我的选择。

向生活摆出喜悦的姿态

一位朋友来工作室，我正披头散发系着被颜料染脏的围裙在画布上涂抹，招呼了她我就继续画画。她喝着茶，长久的沉默之后对我说：你画画的样子真好看，真喜悦。

我想她是要表达，认真做事，是美的。画画的时候一定是专注的，抛开了手机电脑以及所有让人分心的事物，眼睛盯着画布，心随手而动，全世界就只有你自己，你自己就可以是全世界。

对我来说，画画也好，手工也好，以及做衣服，下厨，等等，做这些就是给心自由。人处在单纯的劳作里，心会有巨大的放松和休息。它们都给我带来身心合一的喜悦。"身心合一"是我们随意就能说出来的四个字，但真要拥有并不容易。

手工好不好没关系，画得好不好没关系，就像朋友YOLI说的那样"会不重要，爱才重要"。全身心投入一件事，享受它，那么在这过程里，你其实已经开始收获了。

很小的时候我学画画，但那个时候学的是"画画的技术"，不是"通过画画让自己更敏感，更具有懂得美，懂得爱的能力。"也因此，那个时候学画跟学数学学英语学给鲁迅的文章归纳中心思想段落大意一样，只是"应该学"，而不是"我想学。"

说起来，真正喜欢上画画，是从莫奈开始的。第一次看到莫奈的《睡莲》是在15岁那年，小城里的新华书店，从一堆考前指导教程里突然出现大开本的画册，封面大大两个字"莫奈"，背景就是光影交织的水面上看似随意堆砌又果断坚决似乎"非如此不可"的几朵睡莲。

"噢，原来可以这样画。"

彼时我每天被各种教条填满，所有的学习都指向一个标准：美术类高考。而这斑斓的水面却准确无误地给我一种酣畅的情绪，像诗歌或者音乐一样流畅。我那时还不能明了这情绪是什么，但"原来可以这样画"的感受却是实实在在的刺激。原来可以这样画，画画不是为了考试，不是为了画得像，画画让瞬间的光影成为永恒，画画留住时间，画画触摸生命，画画是某一时刻无法抑制的冲动，画画，就是画画……

几年前我的一本书要出版，给文字配图，买来一堆色铅笔随性涂抹，而其中一幅直接用作了新书的封面。这幅画里，小女孩趴在池塘边注视着有睡莲的一汪池水，眼睛睁得很大，小手伸得很远。很多人都看出来了，这幅画是在向莫奈致敬。

后来我去上海看了莫奈画展。通过印刷品已经观看过太多次，断没想到原作还是给了我这么强的冲击，那么熟悉又那么陌生。画很大，整整一面墙，近了看见那些笔触，凛冽的温柔的，果断的快速的，生命的灿烂光华。退远了看，又是那么安静，安静到莲花朵朵开。

之后又带上新书去莫奈花园，距离巴黎市区一小时火车，莫奈晚年居住于此并完成睡莲系列的地方，吉维尼小镇。吉维尼小镇坐落在一座小山的半中央，更像是一个小小的村落，那种小时候梦想中的童话中的小村落。一路往里，各种花朵开在各种地方，路边灌木丛，石头墙壁的缝隙里，半开半掩的民居栅栏内。走到尽头就是莫奈花园了，从一处小门进去，偌大的花园像变魔法一般出现在眼前，一切如在梦境。每一处景每一个微小的事物都在向世人展示生活的美与自然的惊奇。

下雨了，雨点打在莫奈花园日本桥下池塘里的睡莲上，池水色彩斑斓，映照出岸边的绿枝、花朵和天空。不远处烟雾迷蒙中得见莫奈一家生活起居的二层小楼，淡蓝色墙壁，木质窗框，白色窗帘，还是像在梦境，就好像走过去就能看到70多岁的莫奈手执画笔斜眯着双眼，凝视这个时间和情感堆积出的世外桃源。

这一切带给我的感觉是莫奈对生活对自然那种浓烈的爱，爱得那么投入那么忘我，那么幸福。莫奈的一生经历了多少苦痛哀伤啊，在这样的底色下，那些花草，绿树，蓝天，池塘里的小鱼和虫子，它们散发出的华美光彩反而深深照进了心里。

嗯，会不重要，爱才重要。我想这是我能做到的，向生活摆出的最喜悦的姿态。

做一个被气氛喂饱的女人

我想我就是那个被气氛喂饱的女人。

我们的阳光房第一次招待了客人，一早接到客人的订座电话，我弟弟小喜站起身拍拍屁股就去菜市场了，胖子忙着整修洗手间的冲水系统，小小打扫卫生和准备茶点，厨师在厨房里吹着口哨弄得丁当响，而我，在客人到来之前的一整个白天，只买回一幅油画。

有必要说说这幅画，是专为楼梯间准备的，我怎么能够容忍客人们走过一个没有挂画的阳光房的楼梯间？

在送仙桥逛了大半天，终天找到了我想要的画，画是这样的：傍晚有火烧云的天空下，两座土坯建造的房子，房子面前是一潭金色的湖水，有温暖的空气在流动，这画让我想到俄罗斯，想到那股甜蜜的忧伤。就是这么一幅美好的画，我看到它的时候就想，我们的阳光房太需要了，那个楼梯间四周是白墙，灯光下有些清冷，这么一幅热烈的画会打消这种清冷。

事实上，来用餐的客人们并没有谁提起我的花草，当然也没有人注意到那幅画，他们随意而欢喜地说笑着走过楼梯间，直奔二楼餐厅，有一会儿我看到一个客人在楼梯间打电话，忍不住给她指了指墙上的画，她瞟了一眼，捂住听筒对我说，你画的么？我说，哦，不是的。她继续打她的电话，我默默离开了。

送走客人，晚上开总结会的时候，大家发言很积极，他们说，凉菜少了，客人反应腊肉盐重了，上菜有点慢，汤里肉多了有点冷了，摆盘不好……我很内疚地听他们发言，觉得自己什么也没做，想说点什么又无话可说，最终说出的是：是不是忘记开音响了，怎么没听到音乐呢？我这个被气氛喂饱的女人哪，忍不住要鄙视自己了。

听到一个说法，一百个人里，有九十个曾经梦想开咖啡馆，这九十人里，只有五个人会真的去开，而这五个人中，只有一个能赚到钱。听到这个的时候，我还没碰到现在这栋房子呢，但我很快就把这句话忘得一干二净了。

我看上的这处房子，以前是一个电影主题吧，我一看见就喜欢上了它，几乎在五分钟内就决定要盘下这幢位于西村深处的小房子，小房子是灰色的，四周都是树木，它位于西村的深处，安安静静地待在角落里（太不适合做生意了），通向它的路，是用旧旧的木板搭建的栈道（并不算好找）。从楼上走到楼下，再从楼下走回到楼上，我就对自己说，就是它了。

这就开始了。

做一个自己喜欢的自己

身高165厘米，体重维持在49到52公斤之间，这是我给自己定下的任务。身为自己服装品牌的模特，能穿进中号衣服是必须的，无论是试穿样衣还是拍新品图片，中号都不胖不瘦刚刚好。

不是非要做模特，只是我自己做的衣服如果我自己都不穿，如果我自己的身体都不与它发生关系，那么这件衣服在我这里是不成立的。还有，一件好衣服应该经得起普通人的检验，衣服的美，不只属于T台上那些貌美如花惊心动魄的模特们。

如果你见过我爸我妈以及我弟就应该相信，我绝不是那种吃什么都不长胖的幸运儿。我只是始终对"长胖"这件事保持警惕。

不需要很瘦，但需要拥有控制自己身体的能力，在"适当"的原则下管理身体，寻找分寸。分寸的掌握需要慢慢习得，每个人是不一样的。这一点特别像骑自行车，会骑自行车的人一定明白我在说什么：如何保持平衡，如何在一种力量的支撑下往前走，既有顺势而为，又有果断的坚持。

除了分寸，我特别想强调的是：享受每一个时刻自己的样子，与身体和解。"我现在这个样子是好的，我还会变得更好"，而不是"我讨厌现在的身体，我要改变"。前者和后者有本质区别。

写到这里顺便说两句。满大街的关于瘦身美容的广告给女人划定了一个标准，在这个标准下他们在共同讲一个糟糕的故事。这个故事的大意是：女人要如何如何做才能得到爱情，才能婚姻美满，才能得到别人羡慕的眼光。这很低级。

在健身房看见太多把身体当做仇人一样的女人，她们身体沉重，面无表情，双眼漠然，每一个动作都狠狠的，潜台词正如很多广告语那样：甩掉脂肪，重新做人。这样的人没有把运动的当下当作享受，她不爱她那一时刻的自己，她只是带着任务和目的来到健身房。

我的意思是，即使你超过标准体重50斤，你也应该做一坨轻盈的胖子，热爱你自己，热爱你和这个身体相处的每一天。

相比"狠狠地"运动，节制地面对食物可能更重要。不要傻傻地以为微博上那些喜欢晒美食的明星们都爱死吃憨胀，她们一定吃得很少，才有时间和心情拍照并且PS。吃货们只会大快朵颐之后抬起头一边擦嘴一边感叹：哦啊，忘记拍照晒图了。

当然，节制地面对食物，首要目的不是为了更瘦更美，是为了更好，这个好比美更美。

请记住这句话：我们吃进去的食物，三分之二都供养了医生。

这是一个物质太饱精神很瘦的时代，物质的饱足感带来的是迟钝和麻木。吃多了就会有"脑满肠肥"的感觉。节制地面对食物，减肥是次要收获，最重要的是精神状态，人对周遭的感觉会更敏锐，更清明。过有节制的生活能带来节制的乐趣。食物不再只是为了满足欲望，而是类似美感的东西。

我曾经试过连续几天不吃主食只吃少量水果和喝水，体验了一回类似轻断食或辟谷。几天之后的一次进食，每一样食物都能呈现它本来的味道，我确定我那个时候是在真正地享受美食，而不是"吃得很饱"。断食没有任何坏处，如果有需要，可以每个月愉快地做一次。

其实说到底，就是这句话：要用掌控人生的野心来掌控身体。以前做老师的时候，班里有个同学告诉我：我不想起床上课，但坚持来了，上完课心情就特别好，觉得没有辜负这一天，下课我就是去打游戏也会很投入很开心的。但假如我待在寝室睡觉打游戏，我一整天都不会快乐的，尤其在夜晚，会空虚，无聊，讨厌自己。

是这样的，投入地工作才能投入地休息和玩耍。

做一个让自己喜欢的自己，睡觉前可以对自己说：今天，我对自己满意。要记得：你不喜欢的每一天，不是你的。

穿衣服的人比衣服本身更重要

我做的衣服，希望穿着它们的人是什么感觉呢？就像老朋友，轻轻松松与之相处，让人联想起某些已久远的场景，一次相对大笑，一次怡人的沉默。

这个时代越苍白，时尚的东西越能产生广泛共鸣。我的衣服大概永远不会成为流行。衣服是我与世界对话的方式，如果说关于做衣服还有什么野心，那么就是，我希望通过衣服这个载体向更多人传递：过一种忠于内心的，真实的生活，让每一个女人成为她自己。

我只做合适的衣服，而不是"正确"的衣服。就像人一样，得体就好了，不需要那么正确的，正确往往会远离生动。我有一个朋友，她有很多缺点，可我喜欢她，连同她的缺点一起喜欢，我是想在她身上找到想要的自己吧——是的，不需要活得那么正确。

衣服是静止的，但人是活的，不同的人会赋予它不同的意义，每一件衣服从它被制作出来就开始了另一种生长，它的温度和感情是穿衣服的人和它共同创造的。要记得，是我们在穿衣服，不是衣服在穿我们。

正如一同喝茶的人比喝什么茶重要，穿衣服的人，也比衣服本身更重要。

一件衣服好不好看，要看什么样的人穿，穿在什么环境里，风格面料流行款式等等都是次要的。最重要的是"恰当"，也就是得体。一个人处在一个环境里，要穿什么样的衣服才和这个环境相衬？可以互补，可以融入，可以点睛，但总之，首要的就是恰当。

平原上的油菜花每年都会开，大自然从不放弃展示它的美，不管我们看不看得见，它就在那里。在细微而日常的事物中，蕴含着永恒。我希望衣服也是这样。

选面料，画图，做衣服，修改，试穿，再修改，给衣服拍照，选图，再补拍……做这一切很多时候就是跟自己死磕，"脑子里想法太多，而手上只能完成到这一步"是绵长但可以期待的痛苦。

看到一句托翁的话："发现一切事物都进行得很好，而我自己已过时了，我改好了，可是老了。"真是触目惊心。我不怕老，但觉得无论何时，接受和体会当下这一刻都是很重要的能力。不要等着什么都好了再怎么怎么样，我喜欢做一件衣服，我就要马上做衣服，而不是"好像我们经历的一切，到这一刻为止的生命，都只是彩排，盛大的演出还没开始"。

"每件都一样，又不一样。"这是我想通过衣服传达的。大的方向是一样，但总要追寻一点小小的意外，很小的一点点。人与衣服之间需要默契，太多的变化会带来疏离，但若是不变，又无趣了吧。就这么一步步往一个方向去，那个方向是什么？我知道。

女人有时候男人气一点也好看，粗线条下包裹一颗柔软的心，冲撞总带来意外。

未来做出的衣服会是什么样子呢？我也好奇，充满未知。但我想我的衣服会越来越独立，越来越宽容，越来越有力量。这些词语看起来像是形容一个人而不是一件衣服，但就是这样。

菜市，永远能燃起你心中热爱生活的愿望

当初买下这处房子，是因了五分钟步行就可到达的苏坡菜市。

"家门口有菜市可逛"是我选房的第一标准，不是超市，是菜市，那种露天的，成都人的菜市。

从小区大门往城外方向走，穿过小广场，经过农村信用社，拐个弯，两旁一片低矮的平房，卖水果的，织毛衣的，做十字绣的，出售国产手机的……就在这些商店的中间一直走，耳朵里渐渐传来人潮声，这声音就像隔着一片树林听见瀑布，但又明明白白是近在眼前的市井，顺着这声音的方向再向前，"苏坡农贸市场"几个大字就出现在头顶上了。

这菜市场是我见过的成都最大的菜市场，足球场那么大的一片平地，平日里供应附近居民的日常生活，每周有三天是赶场天，凌晨两三点就开市了，水产、肉类、菜蔬都运到市场里来，一天的营业就在昏黄的灯光里开始，小商小贩们从这里批发了农产品再拿到城里售卖，早

晨八点，新鲜的食材就摆上了成都市民的餐桌。

菜市永远能燃起你心中热爱生活的愿望，菜摊上各种颜色的蔬菜瓜果，水产区湿漉漉的地面偶尔蹦跶着的一条小鲫鱼，卖猪肉的大姐气沉丹田对身旁小孩一声呵斥，以及漫天的讨价还价声，即使不买什么，逛一逛也神清气爽。

穿梭在各种颜色交织的菜摊中间，眼前就会出现遥远亲切的画面，鲜嫩油绿的香椿一把一把放好，这说明不远的乡下刚刚下过一场雨，黄豆连着植株卖，这表示田间劳作的农民又要开始新一轮播种了。春种，夏长，秋收，冬藏，四时更替，在这一方菜市得见。你放心，这个菜市卖的都是当季农作物，逛这里的人都会过日子，精打细算，那些违反季节规律的东西成本太高，无法立足。

市场里有不少附近的农民，背着自家种的小菜，随便找个位置，放下背篓，人就蹲在一旁。喜欢从他们手里买过有虫眼的青菜，除了菜，我还从一位大爷手里买回一株栀子，它长得一点不招人待见，枝叶零乱，四仰八叉，拿回来种在院子里，不久就开出小但是香的白花。

最早听说这个地方，是第一次去先生家听公公讲出来。老人家年事已高，很多事不记得了，一个人逛街还走丢过，但他见家里来了客人，饭桌上高兴，当场许诺："你下次来之前先打个电话，我赶车去苏坡桥买新鲜的鸽子蛋。"先生事后解释，"去苏坡桥"是老成都上点年纪的人们一件隆重的事情。

苏坡桥过去是成都人的乡下，近郊的一个镇子，据说以前这里真有一座桥，是苏东坡大学士捐资修建的一座廊桥，横跨在清水河上。如今，廊桥已不见踪影，就连"苏坡桥"这个地名也只出现在老成都的口语里，能见着的只是河的背面"苏坡社区街道办事处"，冷冰冰一块牌子。

苏坡桥已去，菜市依旧在，经年累月形成的菜市生态仍然顽固地保留着当初的景象。就在菜市的头顶上方，高楼大厦中间，几年前早已矗立直达温江的光华大道，不远处还有更早出现的"苏坡立交桥"。

围绕苏坡菜市的几个小区已经很破败，一位朋友八年前就买下了菜市场旁边一套房子，全家搬过来住着，简单装修，等着某天的被拆迁，以此拿到一笔安置费。他们一家在等待中过去了八年时间，每一年都在想，快了，快了。

可能真的快了。

"这个世界上，总有一些
可爱的人，能把惯性中的
生活磨出想要的滋味。"

没有谁的人生是完美
的，但追求完美的姿
态却可以变成美。

生命是一种博大的东西。

不是有多爱，只是离不开。

成长是一个美妙同时又充满自我修正
和完善的过程。

这世界是那么丰富，有些人把日子过成段子，有的人把生活当成舞台自己就是演员，还有人怀抱理想努力奋斗让人仰望，可是，也需要有人躲在角落做一个认真过日子的人吧。

感谢那些花草

不仅是味觉和童年有关，花草也一样。

最喜欢的花还是红山茶，小时候长在老家背后那片山上的野生红山茶，五瓣，有好看的花蕊，有幽香。那些年岁里，"夏天捡菌儿，冬天掏茶花"对我们而言，是仅次于过年的节日。

"走，去掏茶花"这句话，在老家村子里是和"去赶场吧"，"请明天来我家做客"一样的郑重。

是的，掏茶花，不是采，也不是摘，我们一直说"掏"（听起来就像是去掏鸟蛋）。这种红山茶并不是漫山遍野都开，它们总点缀在松林深处的灌木丛里。远远看到几朵花，披荆斩棘走过去，就那么一株红山茶从一大簇茂密枝叶里探出头来，旁边很可能还依偎着一棵浑身长刺的覆盆子，要小心被扎到。红山茶的枝干很高，花儿又开在枝干的上部，要把它摘下来，必须得爬上树，长得太重的人还不行——枝干又细又高，太重的人会压断树枝一头栽在树丛里。所以你可以想象了，"掐"茶花，就是这么回事。

我们要掐的也不是盛开的山茶花，而是花骨朵。拿回家来插在搪瓷水杯里，放在堂屋的神龛上。那个神龛是家里最庄严的位置，我们小孩子的东西哪能放到那上面去，只有这一束山茶可以享受这么好的待遇。茶花放上神龛，我每天起床就跑进堂屋换水，观察它的变化，直看到花儿开了，又花枝凋落了。落了一地的花瓣也不舍得扔，捡起来放进书本里，压一个星期再打开，美美的带着香气的书签。得来不易，因此备加珍惜。

在别的地方，我再也没有见过开得那么肆意又端庄的红山茶了。成都的茶花，可能因为阳光太少，气候温润，树叶长得太多，花儿却总是一副没长醒的样子，不够红，不够明媚。云南的茶花呢，花瓣太多，层层叠叠，密不透风。

一方水土养育一方人，也养育一方花草。老家还有一种我们叫"斑鸠菜"的多年生灌木，闻起来有股特别的香，不习惯的人觉得是臭的，村子里家家户户房前屋后都种着。这种灌木的嫩叶用清水煮了吃，很苦很过瘾，就一碗老坛泡菜水加小米辣的蘸碟，啧啧，饭都要多吃两碗。经常是水都要烧开了，我妈大声喊："福滴，快点帮我掐一把斑鸠菜！"我就跑出门掐一把回来，胡乱洗洗就下锅了。斑鸠菜还可以煮在腊肉汤里，吃一口腊肉吃一口斑鸠菜，两种味道互相支持和平衡，肉不腻了，菜也清清爽爽。

在成都搬新家，专门回老家挖了几棵斑鸠菜，天远地远拿过来种在园子里，成都平原养人也养植物，种下就没管过它，不到半年就长得郁郁葱葱，整年没落过叶子（老家在最冷的时候树叶是要掉光的）。掐了嫩叶煮来吃，味道终究是不一样了——那种苦里回香嚼起来很带劲的干冽，没了。

一种花草总是顺带牵出一段记忆，接下来我要讲讲"柳贤花"。

老家附近有个镇子，名字叫柳贤，五六岁的时候我们村子有个姑娘嫁去柳贤，我和表妹跟着父母走在送亲的队伍里。路程很远，不是电影里演的那样隆重而热烈，大家穿得体体面面的，新娘嘻嘻哈哈的，阳光打在身上懒洋洋的，一路说笑着走过去。走了好久还没到，我和表妹都累了，不想走了。这时候我妈说，加油，翻过这个小山坡就是啦。果然，山坡另一端人声鼎沸，迎亲的大部队已经依稀可见。

这个时候看面前这个小小的山坡，小路的两旁开满了野花，路边的花儿好美。其中一种花儿好看得心颤，花瓣硬朗，风吹过来花枝倔强地招展着。我们一边走路一边收集了很多花种，拿回家种在房前，第二年春天就开了，不知道名字，我和表妹就叫它柳贤花。每次我们回忆童年，一提到"柳贤花"这三个字，彼此心里就装满了美好的感情。去年又提起，问了很多人，又百度，才确定柳贤花的学名叫百日草，居然是阿联酋的国花。

我家背后梯田的田埂上有一种粉紫色小花，很小很小，豌豆那么大就是完整的一朵。每年初春这种紫色小花就成千上万开满了田埂，远远望去一大片一大片的粉紫。那时候我们几个小朋友常常在田埂上疯跑，有一天弟弟小杰说，要是冬天下一场粉紫色的雪就应该是这样的吧，从此这种野花就有了一个好听的名字：紫雪花（幸亏弟弟现在在银行工作，不然我们家族最会写字的人就不是我，是他了）。

也不是每一种野花野草都没有名字，村子不远处有一个山坳，在溪流的上方长满一种带刺的植物，从秋天开始，树枝上结满了红色的小豆子，到冬天将尽才罢了，大人们都管这小红豆子叫"斗争粮"。据说在阶级斗争和大饥荒年代，小豆子摘下来，用石磨碾碎捏出饼蒸着吃，这些"斗争粮"救了全村人的命。到我们这一代，只是当零食生吃了，酸甜，并且一点点涩口。对我们而言，更大的用途是可以当做珠子串成项链，红红的一串挂在手上或者胸前，美美的，晚上睡觉都不舍得取下来。

成都郊区发现了不少"斗争粮"，很兴奋地串了一串戴在手上发微博，引来好多人围观，这才知道原来在别的地方这红小豆子还有更多的名字，以及名字背后讲不完的故事：水茶子，救兵粮，赤阳子，红子，均良，豆金娘，酸米米……

哦，对了，前面提到过长在红山茶旁边的带刺覆盆子，我也是前几年才知道原来我们从小吃到大的"刺泡儿"还有这么一个洋气的名字。"泡儿"是我们那里对野生可实用小果子家族的统称，除了刺泡儿，还有桑泡儿，马桑泡儿，黄泡儿，黑泡儿，蛇泡儿，糯泡儿……这里面呢，除了马桑泡儿吃多了要拉肚子，别的泡儿都是记忆中最健康美味的零食，每一种都是一段回忆，它们串起了我的整个童年。

这是不可思议的事，每次回忆童年，那么多美好，以至于每每从回忆中抽离便生出悲伤：那些闪光的日子终究一去不复返了。而另一方面，一个有花草相伴的童年是我人生最重要的底色，每当碰到不顺利，遇到非难和误解，我又总是会这样安慰自己：一个拥有充沛童年时光的人，总不能对当下要求过多。

感谢那些花草。

第四部分

有你，我是如此幸运

>>>

爱是一个动词

小时候背蒋捷的《听雨》，背了也就背了，意思也都明白了，心想不过如此罢了。前些天猛然在一本书里翻到，一个字一个字在心里默念，念完抬头，呆了半天。那句"一任阶前，点滴到天明"突然就像雨水，每一个字都滴答进了心里。

"少年听雨歌楼上，红烛昏罗帐。壮年听雨客舟中，江阔云低，断雁叫西风。而今听雨僧庐下，鬓已星星也。悲欢离合总无情；一任阶前，点滴到天明。"

有很多东西，只有你翻越了千山万水才能够感知到它。对于孩子何尝不是如此，时间和路程会慢慢给一个生命以成长，让它丰富，深邃和澄明。

小区里有个三岁左右的孩子在骑电动玩具车，还有两三米就到铁门了，他却并没有打算停下或者转弯，而是径直向铁门开去，车速不算快。一旁的妈妈大叫："停下来啊，转弯啊，怎么回事啊！"一边叫一边冲上去抓稳玩具车，拧紧了往一旁拽。拽住了，抱下孩子就开始唠叨："你怎么回事呢宝宝？前面有门是要转弯的，或者停下来，不然就撞上去了呀，会撞倒的，会疼的，这样不好，知道了吗……"

吧啦吧啦还在说，我抬眼望孩子，一脸茫然和无辜。他唠叨的妈妈也很辛苦的样子，这场景要放在电视剧里，潜台词大概就是：当妈妈真不容易。

我却出戏了，心想，要是等孩子撞上去，顶多摔下来哭一场吧，肯定不会伤筋动骨的。要是摔痛了，多好的教训。"读一百本植物学书，抵不上让孩子在自然里走一走。"说的也是这个。

没结婚的时候我就立下一个志向，这辈子决不当唠叨的妈妈，如果我希望孩子怎么样，那我就先怎么样，假使我做不到怎么样，我也不敢奢望我的孩子可以怎么样。教育不是唠叨，而是做给TA看。

每个人能负责的都只有自己的人生（很多人连这一点都做不到），想好这一点，就不会在别人的生命里妄加干涉。我这么想，不是不爱孩子，只是觉得，"爱"是一个动词，需要一辈子学习，修炼。

桑格格在她的新书《不留心，看不见》里有首诗，是这样写的："我看见了你的成长/你生命中/一次次的碰撞/却不能为你做什么/在那么早的时候/我还不能叫醒你。"

我以为这首诗可以送给所有想要变得更好的妈妈。

陪你一起成长

因为出了两本书都和孩子有关，常被人当做育儿专家，这实在是个误会。

只是因为自己是个年轻妈妈，又刚巧是个写作者。

我写，不是因为我知道得更多，恰恰是我有太多困惑，希望通过写来梳理自己，希望尽力去明白。换句话说，我写，是因为不懂。

也常有年轻妈妈说，能不能推荐些育儿书籍给他们，老实说，我读得很少，只在怀孕期间读过一些，那个时期对即将成为妈妈既期待又惶恐，生怕自己做错什么，所以抓到什么都像是救命稻草。而那些书现在看来也确实只起到安慰剂的作用，当然，技术指导类的除外（比如孩子生病了应该如何护理这样的）。

等到孩子来到这个世界，一切就都释然了。一个女人因为做了妈妈，她体内的"母性"就会被慢慢唤醒，更多时候，我只是用我作为母亲的天性来面对女儿。

曾经写下这段话：我是因为女儿才成为母亲的，我必须明白这一点。我们在漫长的生命之河里分别承担不同的使命，我给了她生命，而她让我成为母亲。从生下她那天起，我们就在共同成长，一个母亲的成长和一个女儿的成长，我把我的命运交给她，和她一起往前走，坦然接受她在我的人生中起到的一切影响。

做母亲会让一个女人从生命和自然的角度去感知世界，这是我以前没有想到的，我想这就是所谓"接地气"。

对生命有敬畏，怀抱一颗谦卑的心，你就不会狂妄到只想去教育孩子，而不打算被孩子教育。教育一定是双方的，老实说，我觉得我教给女儿的东西太少太少，但从她那儿学到的东西却太多太多。

更多的时候，我这个妈妈只是在陪伴孩子，并且一边陪伴一边偷着乐：呀，我又从这小家伙那儿感知到这个，或者那个。是的，我是带着一点点窃喜在注视着孩子，在抓住每一个机会让自己成长。

前天和女儿从幼儿园回家的路上，她看到邻居家院子里探出头的枇杷，枇杷果还是绿色的，女儿问："妈妈，枇杷怎么还不生呀？"

她以为就像妈妈怀宝宝一样，有一天要把宝宝生下来，而树上的枇杷不能吃就是因为还没有生。

昨天她问："妈妈，什么叫五颜六色？"

"很多颜色在一起就叫五颜六色。"

"那为什么不叫五颜七色，六颜八色？"

哦，这可是我从来没想过的问题。

今晚喝牛奶的时候她突然停下："妈妈，牛奶就是奶牛屙的吗？"

这个……

这些语言和感觉是多么美妙呀，相对而言，我们这些成年人真是愚不可及。

再回到写作，做了妈妈再回看自己以前写的文字，时常脸红，那些小情小调无病呻吟算什么呀，全都浮在文字表面，不是从身体里长出来的。而如今，以一个母亲的身份写下的文字，尽管难免用情过多，难免不节制，但是每一个字都是从我心里流淌出来的，我愿意写这样的文字，愿意写那些在我还是个文艺女青年时所不屑的小日子。

每个妈妈都爱自己的宝宝

大猫咪生宝宝了。

大猫咪是我家附近一片树林里的一只野猫，我每周都有一两天会和女儿去树林里看它，我们通常会带些家里的饭菜放在树林里那个属于野猫们的领地，然后退到一定的距离，过几分钟就会有一只，两只，三只，好多只野猫走过来吃东西。

一开始，它们吃得很紧张，充满戒备，后来慢慢放下武装，放肆地吃。当然，我们还是必须和它们保持距离，一旦超越那个让它们觉得安全的距离，猫们就四散开去。

女儿最喜欢猫群中一只灰色的猫咪，这只猫咪几乎每次都会出现在树林的这块空地，它的皮毛是非常好看的灰，尽管是野猫，却一点也显不出脏的样子，它的叫声也很柔和，女儿给它取名"大猫咪"，因为这只灰色的猫咪在猫群中个子是最大的。

慢慢我发现，大猫咪之所以大，是因为它是一只怀孕的猫咪，它的肚子一天比一天大，走路也不像以前那么轻快。有一天，我告诉女儿："大猫咪的肚子里有好几只小猫咪在睡觉呢。"

女儿张大了嘴巴："啊，那小猫咪们什么时候才从大猫咪肚子里面跑出来呀？"

我说，总有那一天的，小猫咪们越长越大，大到大猫咪的肚子装不下的时候就会跑出来啦。（以前她问过，她是怎么从妈妈肚子里出来的，我也这样回答。）

母亲节的前一天傍晚，我还没进屋，就听见女儿朝我大喊："妈妈，妈妈，快来看呀，小猫咪跑出来啦。"

果然，她双手捧着那个柔软的小东西，像捧着这世间最珍贵的宝物，睁大眼睛抬头望着我，想要我和她一起分享拥有一只小猫咪的快乐。

小东西小得可怜，皮肤上只有细细的一层毛，眼睛却睁得比女儿的还大，很不安地看看我又看看女儿。小东西的毛也是灰色的，毫无疑问，这是大猫咪的宝宝。

原来，早上邻居董爷爷在树林里发现大猫咪生下的四只小宝宝，大猫咪不在，董爷爷把小猫都带回家了，自己留了一只，其余的送给院子里其他人家，知道女儿喜欢，就送来了这一只。

女儿给小猫取了个可爱的名字：红豆。这是她最喜欢的绘本里一只小狗的名字。

外公用纸盒给红豆做了一个简易的小房子，又给她倒了一碗专门给猫吃的奶放在一边，女儿就守着小盒子，开心得不知道做什么好。是五月，小房子放在客厅外的屋檐下，女儿和红豆待了两三个小时才依依不舍回到屋内准备睡觉了。

刚进屋，我们就听到一阵窸窸窣窣的响声。返身去看，大猫咪来了！

大猫咪的嘴里发出不同于以往的喵喵声，红豆在小房子里应和着那声音。女儿也听到了这声音，她紧紧拉着我的手来到小房子前。

大猫咪看到有人出来，丝毫没有要离开的意思，换作以前，与人有这样近的距离是绝不可能的。但是现在，它当着我们的面，跳上了小房子的顶部，一阵翻腾，想要接近它的孩子。

我走过去打开房子的门，大猫咪马上钻了进去，小房子太小，母子俩挤在一起，红豆寻找了一会儿，竟然咬住了妈妈的奶头。

然后，大猫咪和红豆都安静了下来，它们不再喵喵喵，只听见红豆满足的吮吸声。我也安静了，就好像身体里的哪个开关打开了，毛孔张开，装满了温柔的感情。眼前这画面多熟悉啊，女儿几个月大的时候，我们也这样。

女儿抓着我的那只手却捏得更紧了，她先是和我一起看着面前这对母子，过一会儿突然问："妈妈，大猫咪会把红豆带走吗？不能让它走，不能让它走。"

"宝宝，大猫咪想它的宝宝了哦，就像妈妈想你一样。"

"不不不，不能让红豆走！"女儿哭了。

"大猫咪只是来给宝宝喂奶吧，喂完就会走的吧。"

这句话刚说完，就看见喂完奶的大猫咪用嘴衔起了红豆，她准备带孩子离开。

"不，那是我的红豆，不许走！"女儿号啕大哭。

外公听到哭声跑了出来，他跺脚吓唬大猫咪，大猫咪几乎是本能反应，放下了红豆，但还是站在原地，没有要走的意思。这个时候的大猫咪，嘴里发出的声音是颤抖的，恐惧中又带着挑衅。外公把红豆放回小房子里，封好上面的盖子进屋去了。临走时留下句话：这样也好，每天来喂点奶，小猫长得好些。

女儿还在哭，大猫咪趴在小房子外，继续叫着。隔壁董爷爷听到了，出来对着我家喊："猫儿很灵性哦，刚刚才在我家喂完了我们这一只，又找到你家去了哇。平时只敢躲在树林里，当了妈胆子大得很哦。"

我抱女儿在怀里，心里乱糟糟的，一边安慰她一边拉着她进屋，她却仍然不放心，问我，小房子会不会被大猫咪弄坏了，我说不会的。

大猫咪还在门外，我心里还是乱糟糟的。

我想，应该跟女儿好好谈谈，我把女儿拉到她的房间，换好睡衣坐在床上，跟她谈话。我说："宝宝，妈妈爱不爱你？"

"爱。"

"那大猫咪爱不爱红豆？"

不回答，哭。

"大猫咪是红豆的妈妈，她很爱红豆，她想和红豆在一起是不是？"

不回答，继续哭。

"红豆想跟大猫咪在一起，就像宝宝喜欢跟妈妈在一起，是不是？"

不回答，继续哭，但是哭声小了些。

我换个方式："宝宝是不是非常喜欢红豆？"

哭着回答："是。"

"你喜欢的红豆要是找不到妈妈会难过的。"

不说话，继续哭。

不忍心再说什么了，对于一个三岁多的小女孩来说，这些问题是不是太重了，我想。爱的丰富和复杂，她理解起来并不容易。

给她讲绘本故事，一边讲一边向她保证，红豆还在小房子里，她终于很不情愿地睡着了。

我也该睡了，可是心里还是乱糟糟的。起身，下楼，出门，大猫咪不见了。也许她去找另外两个孩子去了，找到了吗？如果找到了，它是不是又要面临刚才的一幕，如果没找到，它会不会再回来？如果再回来，还是只能隔着小房子听到宝宝的叫声，它该有多难过？

想到这里，我打开了小房子上面的盖子，然后，心里乱糟糟的，也躺下睡了。

第二天一早，女儿比我先醒来，她似乎是有预感，迟迟不愿起床出门，好像知道只要出了门，就得去面对什么。

我牵着她来到门外，红豆果然不见了。

女儿注视着没有盖子的小房子，沉默了几秒钟，抬起头很悲哀地说：妈妈，红豆和它妈妈走了。

奇怪的是，她再也没有大哭，她只是说，我会想红豆的。我之前准备好要跟她讲的话全都讲不成也不用讲了，我本来想告诉她：妈妈很爱自己的宝宝，所以看到别的妈妈不能跟宝宝在一起就很难过，所以昨天晚上打开了盖子……

什么都不用讲了，她好像一夜之间长大了许多。我想我低估了面前的这个小女孩，昨天夜晚她看到的一切，其实已经在她心里产生了影响，生活的真相，爱的本质，成长的阵痛，所有这一切，悄悄地，又实实在在地从这个小女孩心里经过。

是的，她再也没有大哭，我却流泪了。

过多的选择会更好吗

"练，你最喜欢的颜色是什么呀？"

"妈妈，我喜欢蓝色。"

"那，红色和黄色你喜欢哪个颜色呀？"

"蓝色。"

"我是说，要是在红色和黄色中间选一个，你会选哪个你更喜欢的
颜色？"

"不，我喜欢蓝色。"

这段对话发生在女儿三岁时，她回答得多好。我听到她的固执和
坚持。

这应该算是女儿给我上的一堂课。她告诉了我什么是坚持，什么是执

着。在过去的人生历程中，我曾面对过无数种选择，在这林林总总的选择面前，我也曾一次次的沾沾自喜，因为，在世俗的概念中，选择越多的人，往往是能力越大权利越大名望越大的人，这样的人是世俗意义上的成功人士。当时的我也就是这样不可免俗地肤浅着，在别人"她爱好广泛，样样通"的评价中，自以为是。

可是，过多的选择就会更好吗？

我们都有过那种经历，想好了要买一件大约什么样的衣服，去商场发现这样的衣服太多了，于是进入一家又一家卖场，试了一件又一件。也许你逛了一整天，在疲惫中最后终于挑中了一件，可这件并没有给你带来满足，你只是不情愿地拿走了一件"将就"的衣服，你会沮丧。假设你生活在一个小镇上，这小镇只有一家服装店，这家服装店某天刚好在出售一件这样的衣服，你一定会非常开心。

生活就是由一个又一个选择构成的，有些时候看起来是错误的选择，却支持了你人生的下一段，有时候看来无关紧要的选择也几乎决定了你将成为什么样的人。

选择过多，并不见得是好事。我们常常会发现，身边那些有力量的人，他们往往并不拥有世俗意义上的优秀，他们有很多毛病，他们没有过多的选择，只是生活选择了他们成为什么样的人，而他们稳稳地接住了这被动的选择，从而开始主动地努力和慢慢地获得。

而对于孩子来说，当选择更少时，似乎才会有安全感，也才会珍惜得到的东西。

我至今记得五岁那年拥有的第一个布娃娃，那是那个物质匮乏的年代最美好的礼物，它简单朴素，爸爸将它递到我手中的时候，我感动得快要哭了。我每天把布娃娃带在身上，走到哪里带到哪里，睡觉时也抱着，它陪了我好几年。现在的孩子，她们会有这样的长期拥有一个物品并与之建立感情的幸福吗？

"因为我的童年没有得到，所以要让我的孩子拥有。"这是太多父母的共同心愿，所以总想给孩子提供更多的物质更多的选择，但是，不断的选择并不能让人拥有力量，也不能让孩子幸福。

——选择过多，人将面对的不是物质里的精神性，而是欲望，而欲望是填不满的。

心理学家巴里·施瓦兹做过一个试验：将一群孩子随机分成两组画画。第一组孩子可以从3支油性笔中选1支，第二组则可以从24支中选1支。当一名不知情的幼儿园绘画老师对作品进行评价时，被列为"最糟"的多是第二组孩子的作品。然后，研究者让孩子选择一支笔作为礼物，孩子选完后，再试着说服他们归还这支笔，换取另外一个礼物，结果第二组孩子放弃起来容易得多。施瓦兹认为，这表明选择更少的孩子不仅更专注于绘画，而且更加容易坚持他们最初得到的东西。

我很少带孩子去逛超市或者吃自助餐，家里的每顿饭菜也做得简单（在保证足够的营养搭配前提下）。我觉得孩子的力量还不足以抗衡那些花花绿绿的物质世界。

成人世界有太多的诱惑，我不想让孩子过早地接触，并过早地选择。

没有选择或者说只有唯一的选项，其实也是一种幸福。在这种专一的环境中，孩子能真切地面对唯一的需要，从而接近这唯一选项的本质，而不是在乱花渐欲迷人眼的选择中不知所措，只得到蜻蜓点水的感悟，甚至一无所得。我们都是普通得不能再普通的人，自认不是天纵奇才，不会有万事皆通的本事。也许人生中终究要遇到很多很多的选择，但是当下，我只愿我们的孩子，在选择之前，能够先具备深入一件事物的能力。这样的能力越大，才能越享有更深的幸福，而非外界强加的"你可以选择"的乐趣。

猛虎和蔷薇，在一起

给女儿讲睡前故事，今晚是安东尼·布朗的绘本《公园里的声音》，读到那一句："我又自己一个人在家……"，她接过去："好无聊。然后，妈妈说我们要去散步了。"

我再接过来："公园里有一只很友善的狗，维多利亚玩得很开心……"。

——妈妈你不要说话，我要睡着了。她说。

于是她就真的睡着了，她一只手抓着我衣服上的纽扣，一只手捂着半边脸蛋，两只脚弯过来枕在我的大腿上，均匀的呼吸传过来。

享受这样的时刻。

窗户外不远处就是三环路，此时还有车流声传来，头顶的天空偶尔有飞机隐约的轰鸣，隔壁家电视里正播放一部老掉牙的肥皂剧。世界看起来如此安稳，而我，和我的女儿在一起。

有一种好到不安的怅然。这感觉就像木心有一次走过大街去上课，看阳光下的树影，觉得"世事皆可原谅，但不知原谅什么"。这是爱与哀愁。

与女儿的相互陪伴，渐渐在内心有了笃定，这是一天又一天的相处带来的，对我而言，这笃定是细碎的日子给予我的最高奖赏。有一天和好朋友聊天，说起做妈妈，连连感叹："就连孤独都变成了奢侈。"

小你姐给我写过一段文字，她写到有一次在朋友工作室看到我，说我因为做了妈妈，整个人变得"大"了，她说，生过孩子的女人，看所有的小清新、小情调、小感觉都有点无言，也有点宽容。你得大，不停地大下去，大至江河，藏污纳垢，自力净化。这些话，有孩子的女人读起来自是心有戚戚。

诗人西格夫里·萨松曾写过一行不朽的警句："In me the tiger sniffs the rose."我心里有猛虎在细嗅蔷薇。

无论是怎样的人，只要心间起了爱意，就会变得很温柔，蹑手蹑脚，小心翼翼地靠近美好，生怕惊落了花蕊上的晨露。

因为心间起了爱意，猛虎也变得温柔，反过来，因为做了母亲，再柔弱的女人也会变成一只猛虎。这猛虎一面呵护小生命，一面通过小生命关照内心的温柔，这如蔷薇般娇嫩而自持的温柔。

每一位母亲的心里，猛虎和蔷薇，在一起。

永恒的同情心

"妈妈，地震了。我跑出来了，但是小兔子跑出去了。"

早晨八点多，被这句微信语音叫醒。彼时我正在国外访问，当天的活动安排是去一所华人学校看孩子们的运动会。天气晴好，一切如昨，但三岁女儿在成都用稚嫩的童音说出的"地震"两个字突然使身边的一切变得不一样了。

之后我们坐着车去学校，同行中的一个女孩的男朋友去了雅安灾区，电话联系不上，她一直发着微信提醒对方注意安全，其他人偶尔回一回微信，其余时间就不停地刷围脖看新闻。等车窗外传来学校运动场上孩子们的口号声时，当地朋友叫上摄像下车了，临走时说，你们就待在车里。

我们就待在车里，各自拿着手机。

是一种正常秩序被打乱的惶恐，这感觉之前经历过，如今再一次突然发生。"专家不是说四川一百年内不会再发生大地震吗？"男朋友去了灾区的女孩愤愤地说。

通讯中断，道路阻隔，据说能抗八级强震的房子塌了，孩子们没有学校了，哭声一片，众志成城，万众一心，抗震救灾，人定胜天……

吵闹开始了，有人满腔热血涌向灾区，有人骂涌向灾区的人是在添乱，有人逼捐，有人晒捐，有人痛哭，有人说痛哭的人是在表演……

停一下，对不起，没法投入了。为什么之前已经发生过的事情，我们现在仍然像是第一次碰到？以前，我们用本能去抵抗灾害。现在，居然，依然，依靠本能。

不，好像本能，不是本能。好像惯性，也不是惯性。似乎一部庞大的机器又被启动了，一切都在其中。当灾难发生，几乎所有人都不假思索地投入了那个模式。

如果2008年那场巨大的灾难都不能让我们成长，还要怎样？还能怎样？

灾难就是灾难本身，无论大小，无论死伤多少，无论这灾难披上哪一种悲情的外衣，对于灾难中每一个具体的人，这伤痛都是深重的。一位在车祸中失去孩子的妈妈的痛苦难道就会比在地震中失去孩子的妈妈的痛苦少很多吗？一个能"感动大家"的关于灾难中的故事的主人翁可以得到更多的帮助和同情，可是，另一个和他一样的经历了灾难但是讲不出打动大家的故事的人，就不需要同情和帮助了吗？

北野武面对东日本地震写下：悲恸是一种非常私人的经验。这次震灾并不能笼统地概括为"死了2万人"一件事，而是"死了1个人"的事情发生了两万件。两万例死亡，每一个死者都有人为之撕心裂肺，并且将这悲恸背负至今。

一番折腾，几次转机，终于回到成都。下飞机坐上出租车，广播里正在播放"无论你在哪里我都要找到你"，主持人正号召大家行动起来，传递爱心。出租车师傅关掉收音机，像是对我说又像是自言自语：求莫名堂，没死几个人嘛，搞那么大阵仗。

这话我听出一股彻骨的寒意，在审悲疲劳中，那永恒的同情心去了哪里？不是出租车师傅错了，是整个什么东西，错了。

可是在没有电台吵闹声的出租车里，师傅跟我说，5·12他开着车直接去了都江堰，参与了救灾，这一次一开始也想去雅安的，后来听说去的人太多了，就打消了这念头。"每天该做啥子做啥子"，除了偶尔半夜会被余震惊醒再翻个身继续睡。

回到家里，女儿扑向我的怀里，亲我，摸我的头发，嘴里一直在喊妈妈，妈妈。然后她牵着我的手来到小区的院子里，向邻居们炫耀妈妈回来了，在邻居们欢乐的目光里，在蔷薇满园的春光里骄傲地奔跑着。

我走在她后面，看着她那个样子，心想这平平淡淡的小日子啊。

美感、快感和满足感的区别

我们真的了解孩子的需求吗？她说，妈妈，你给我买一个会唱歌会讲故事会跳舞的娃娃好吗？她这样说的时候，也许她只是想要有人陪她，而一个电子娃娃并不能帮她赶走孤独。

又或者她说，妈妈，我想要一个机器人。也许她只是想要自己更强大，而当然，机器人不可能代替她成为自己。

从小到大，女儿喜欢的玩具依次是：半岁左右拿在手里揉搓撕扯的餐巾纸，一岁可以敲击地面发出声音的矿泉水瓶，两岁捏出各种形状的泥巴，三岁积木。现在，她快四岁了，喜欢玩水，以及每周去河边玩沙。

她去玩沙的时候，我就在远处坐着，她可以一个人玩一上午，她在那里建造房子，让小石子扮演小宝宝，摘一朵野花插在房子顶上并且自言自语：太阳出来了……走的时候还要依依不舍和沙沙泥巴说拜拜。她也对商场里那些花样繁多的现代玩具有兴趣，但往往这种兴趣并不能保留太长的时间，一阵兴奋过后就弃而远之了。

仔细想想，这里面其实有美感、快感和满足感的区别。

只要有足够的耐心陪孩子去自然里走一走，就很容易发现孩子与自然之间那种天然的连接。我们成人千万不要愚蠢到"帮助"孩子断掉这种连接，用商场里那些五花八门的塑料玩具填充起的童年是苍白的。

越来越有意识地避免带孩子逛商场了，我们生活在一个物质过多的世界里，商场是这种"多"的最直接体现。我仔细观察过，抱孩子在商场里逛一圈她会睁大了双眼，再逛一圈她会烦躁，而如果多逛几圈，她就麻木了。商场里太满，希望等到她足够有力的时候再去面对物质世界的丰富。

一个孩子每天生活在五颜六色的塑料玩具里，除了"太满"，还有一点非常可怕：孩子对色彩的敏感会越来越少。孩子很可能会认为最美妙的色彩就是游乐中心那些五颜六色的爬爬垫，这些东西确实比自然的色彩更夺目啊。在这种没有美感没有秩序的世界里待久了，会不会有一天，孩子再也感觉不到天是蓝的，草是绿的，花是红的，梦是粉色的……

一个人，幼年时期对色彩的感知会作用于一生，每一个孩子都在这样杂而丑陋的环境里长大，我说得重一点：这是整个人类的悲哀。

首先是个好人，然后是个好妈妈

有一天，一个朋友带着她的儿子来我家，她的儿子三岁多，和我女儿正好玩儿到一块。

我们好几年没见面了，有很多话想说，又差不多同时当了妈，讲起孩子自是投机。我找出女儿的一堆玩具让两个小孩玩，我们就坐在旁边喝茶聊天。

可是，聊天的过程并不流畅，她的儿子和我的女儿不时会出现一些摩擦，她总忍不住要去管理，参与和干涉。

即使两个小孩没有摩擦，玩儿得很愉快的时候，这位妈妈也无法集中精力和我交谈，她对我说出的很多话都只是应付，她一直在分神观照旁边的孩子。

比如有一会儿，我正说着话呢，她突然哈哈大笑对着儿子比起大拇指：儿子你好厉害！原来，她听到了她儿子和我女儿的对话。我女儿说，我长大了会长到楼顶那么高。她儿子接过去：我长大了会长到天那么高。

听到男孩子得到了表扬，我女儿赶紧说：我长大了要长到那么那么那么那么高。她笑得更大声了：你也好厉害！

我跟她说，我们好不容易见一次面好好聊天不好么，小孩子自己玩不好么，出了问题他们自己解决不好么。她哈哈笑着说是。可是一会儿两个孩子闹别扭了，她又走过去当起了裁判。

待在我家的三四个小时内，我至少听到这位朋友问儿子五到六次：你错了没有。而每一次，就像是条件反射，儿子张口就来：我错了。

比如，她的儿子抢走了我女儿的玩具，女儿哭了，她立马走过去：宝宝，不能抢妹妹的礼物，你错了没有？儿子回答：我错了。再比如，儿子不好好吃饭，把勺子扔到地上玩，她捡起来，问儿子：错了没有。儿子回答：我错了。

这一遍一遍的"我错了"是不假思索的应付，是不过心不过脑，不是表达，更不是交流。我觉得一个小小男子汉，动不动就跟人说我错了，挺那什么的。我说，我家小姑娘都很少说我错了，除非她真的觉得她错了。她说，我儿子就是很听话。

又一会儿，儿子摔倒了，她两秒钟之内就冲了过去抱住儿子：儿子，不哭不哭。她儿子还没有哭呢，她这么一说，果然哭了。她又不停地跟儿子讲道理，讲些小男孩要勇敢要坚强之类的话，这让儿子哭得很不连贯。

饭后不久，儿子说，妈妈我要上厕所。她立马做出惊喜的表情：儿子你好棒，天天都能主动要求自己上厕所喔！女儿听了她的表扬，凑到我身边：妈妈我也要上厕所……

她说这叫赏识教育，从小鼓励孩子，孩子长大会更自信。我不赞成，取笑她：你儿子拉个屎你都要表扬。她却说我太落后。

这位朋友以前上着班的，生了孩子之后回家做起了全职妈妈，她没什么爱好，不逛街也不打麻将，带孩子几乎是她生活的全部。看得出她对自己的表现相当满意，她还给我介绍了好几本育儿书，国内国外的都有。

离开我家的时候我问她，带孩子辛苦吗？她一脸凛然的样子说：辛苦啊，但有什么办法，孩子长大点就好了吧。她自己小时候和父母离得远，在外婆家长大，她说，自己童年缺失的，没有拥有的，要让孩子得到。

"当一个过得去的妈妈就可以了吧。"我劝她。她笑，她说，你呀你，一点不要求进步。

到了门口，她抱起儿子回过身说：儿子，跟阿姨说再见。儿子乖乖地说了声再见，她满意地亲了儿子一口，转身走了。她自己倒没说再见。

他们走远了，她儿子乖巧的样子却一直在我眼前挥之不去，不知怎么就有些心疼。心疼他碰到这样一位热衷于"教育"的妈妈。

我们都不太懂如何教育孩子，你可以陶醉在"教育"当中，而我选择和孩子相处。

成长是一个美妙同时又充满自我修正和完善的过程，很多东西，依靠"教育"是不可能获得的。就像如果孩子摔倒了，你不给他体验疼痛战胜疼痛的机会，她如何最终明白什么是坚强？

我想，好的教育应该至少有一个标准吧，那就是参与者（施教和受教双方）没有感觉到教育的存在，但它却实实在在地起到了作用。

换句话说，我还不太清楚好的教育应该是什么样子，但我知道坏的教育是什么样子。

在我不确定哪种教育方式更好的时候，我宁可选择什么也不做，我就做一个过得去的妈妈就好。用一个妈妈的天性来面对我的孩子，就像我那没有上过一天学的妈妈面对我一样。我的妈妈，她可没看过什么育儿书，但如今看来，她很多时候无意识地与我的相处，影响了我成为今天的我。她首先是一个好女人，然后才是我的好妈妈。唔，我的意思是，我对今天我的样子还比较满意。

"很不好的轮回，当年父母苦口婆心的劝告，如今又通过自己传递给孩子。如果通过说给孩子听来自我忏悔，不如面壁修行；如果下意识说给孩子听，而要传递回自己，不如择其优者践行之。践行的父母对孩子有莫大意义。教育形态最无力的，是口若悬河，滔滔道理之水父母口中来，会把孩子的慧根淹没。"我看到另一位妈妈韩谨在她的围脖上说。

"做了母亲，我的感悟就是要不断地自我修炼，自我提升。如果我没有做到我不知道应该如何让孩子做到。如果我做到了，我不需要让孩子去做到，因为他已经看到了该怎么去做到。"

深以为然。

因为想不变，所以看起来我总在变。

当你温柔的对待你的生活，
你想要它成为什么样子，它
就会变成什么样子。

"时间和路程会慢慢给一个生命以成
长，让它丰富、深邃和澄明。"

无论是怎样的人，只要心间起了爱意，就会变得很温柔，蹑手蹑脚，小心翼翼地靠近美好，生怕惊落了花蕊上的晨露。

爱，是一个动词。爱，是陪你成长。

对于孩子来说，当选择更少时，似乎才
会有安全感，也才会珍惜得到的东西。

有很多东西，只有你翻越了
千山万水才能够感知到它。

经验并不能使我变得世故，
对于孩子，
　"变换花样才是好生活"。

不要因为世界的恶而变得恶。
不要因为别人的恨而让自己也拥有恨。要相信爱。

练总的故事

练总今年四岁了，"练总"这个名字缘于三年前小姑娘坐在爸爸朋友办公室拍下的一张照片，照片里，练总坐在大桌子后面的靠背椅上，手拿电话小嘴嘟起，小手挥舞成指点江山的样子。

其实练总是温柔的，她最喜欢的童话是睡美人，最崇拜的人是会背《三字经》《弟子规》的爸爸，过家家时最爱扮演的角色是正在做衣服的妈妈。至于长大了要做什么，她和妈妈小时候的愿望差不多："要挣钱钱"（妈妈小时候的梦想是开杂货店）。挣钱钱做什么呢？"坐摇摇车。"

练总一岁半的时候最好的玩伴是天上的月亮，她走月亮走，她停月亮也停，她为这个发现开心得不得了，就好像全世界只她一人知道，经常是玩了一会，她就低下头张大嘴巴望着我，兴奋地想要表达，却不知怎么表达。而在白天，她和自己的影子玩，踩影子，百踩不厌。想起我的小时候，也是这么玩。

练总两岁的时候，喜舅舅问她，狗狗怎么叫的？"汪汪！"又问猫咪怎么叫的？"喵喵！"再问那小兔子怎么叫的呢？"小兔子乖乖，把门儿开开……"

因为妈妈讲了图画书里狼的故事，练总看到小区里的大狗会指着说：狼。我纠正她，这是狗狗。后来去公园第一次看到马，她又指马为狗，大声喊：大狗狗！

带练总回我的老家，高速公路一直向南，穿过一条长长的隧道再见到蓝天时，大山就矗立在面前了，这是练总第一次看见山，平原上长大的她兴奋地对着车窗外大喊：哇，好大一坨山。

车子再往前，山坡上有人在骑马放牛，练总更兴奋了，她说："妈妈，我不想坐车了，我想坐牛坐马。"

和练在河边荒地里发现几株指甲花，弄了些栽在院子里，没过多久就开花啦。现在家里来了客人练再也不招呼客人参观厨房了（她一度认为厨房是最值得炫耀的地方），她会拉着大家看花花，并且强调：我的花花！

练第一天上幼儿园，午睡的时候请求老师给妈妈打电话，老师说，我不知道你妈妈的电话呀，她说，我知道，巴拉巴拉巴拉……反正是一本正经地说了一堆数字加听不懂的外星语，然后，就睡着了。

练总三岁了，奶瘾还是好大，每晚睡前必喝。刚调两百毫升转眼就被喝光，然后以"妈妈你都没有看着我喝"为由申请再喝，边申请边伸手抓奶粉直接往嘴巴里塞。家里来了比练总更小的小孩子，只要有孩子哭，她立刻起身往楼上冲：我去给妹妹调奶粉哈。

三岁九个月，我和练总第一次谈到了死亡，那是某天临睡前，练总突然问，妈妈，你也有爷爷吗？有啊。你爷爷在哪里呢？我爷爷在天上。是天堂吧？嗯，是啊。天堂是什么样的？天堂应该很美吧。那我可以去天堂看爷爷吗？哦，现在不行的，等你老了才可以吧。哦，好吧。然后她不再问了，眼睛睁得大大的看着天花板，过一会儿翻过身睡了。

练总最爱吃冰淇淋，可是一个星期只能吃一次。这次是在星期天，从超市回家的路上咬完最后一口蛋卷，练总抬起头感叹：妈妈，这个冰淇淋真是太好吃了，我差点把舌头都一起吃下去啦。

练总不知什么时候学会了恶趣味，拉粑粑的时候，她会一边拉一边说，我的屁股好听话。

有一次练总和我出去玩，走在路上的时候她心情好极了，抬起头跟我说，妈妈，我想说脏话。啊，你会吗？说来听听。屎屁屁，屁股，马桶，有屎屁屁的尿不湿。就这些？就这些。没了？没了。

另一次我们在新加坡，我带练总出门跟一个叫天行的四岁小男孩见面。她很喜欢天行，拉着天行的手就大叫：屎屁屁！我和天行妈妈都瞪大了眼。不过后来听天行妈妈说，天行一直对爱说屎屁屁的练总念念不忘，看来还真是臭味相投啊。

练总还有一个朋友叫克拉克，和克拉克初次见面那天，克拉克说，我们玩儿什么呢？练总说不知道。克拉克说不如我们玩儿打架好不好？练总说，好的。然后大家就看见两个小屁孩儿扭打起来啦。

练总还有不少大朋友，小小和小贝壳就是，有一天她突然跟我说，妈妈，小小和小贝壳都是我的小小和我的小贝壳。为什么？因为我喜欢她们所以她们都是我的。

"妈妈，什么叫五颜六色？""很多颜色在一起就叫五颜六色。""那为什么不叫五颜七色，六颜八色？"

和练总玩儿角色互换，我当宝宝，她演妈妈。在我坚持要妈妈讲第三遍故事才愿意睡觉的时候，练妈妈冒火了，她不耐烦地白了我一眼，平复了一下情绪，她说：还是你当妈妈吧。

有一回喝牛奶的时候她突然停下问：妈妈，牛奶就是奶牛屙的吗？

有一晚我右眼发红，手拿眼药水做仰天状。练总看到凑过来说，妈妈我也要。我说你眼睛不红哦。她立马双手抱着脑袋在眼部揉搓，顷刻间抬头：看看，现在红了吧？

练咳嗽，折腾了半天终于安静下来，要睡着之际留下句话：妈妈，你好担心我哦。

"妈妈，我昨天晚上睡觉为什么梦不到你？我只梦到小狗。""我也不知道呀，争取今晚梦到妈妈嘛。""好，那你要来哦。"然后她就睡着了。

回家路上，练在身后大喊：哎呀妈妈，我的鞋子没有脚啦！我转过身捡起鞋子给她穿上：好啦，现在鞋子有脚喽。

练总是个有耐心的小姑娘，有天晚上她主动要求跟我学刺绣，台灯下那么小心地捏针，一针又一针重复简单又准确的动作，居然坚持了半小时，其间被针小扎一下瘪了嘴忍住没哭。

练总在幼儿园有个好朋友叫肖子恩，有一天我去接练总，看见肖子恩在跟她说拜拜，可是她头一歪就往我这边跑，跑过来很生气地跟我说："肖子恩再也不是我的白马王子了，因为他流鼻涕了不会自己擦，还要老师帮忙。"

"练总，你给我讲个笑话嘛。""好的妈妈，我小时候在你肚子里，好饿，好想吃西瓜，你就用吸管给我吸到肚子里，哈哈哈，好好笑哦。"

小表妹家在乡下，第一次来成都，练总和表妹一起游乐园玩儿。玩一圈下来练总问：表妹你开不开心呀？表妹大声喊：好开哦，只有弄么开咯，开得很！练总愣了一下，随即大笑着说，我也很开，很开！

练总坐车上，迎面开来一辆洒水车，她说，妈妈，表姨每次看到洒水车都大声地说，哇快看洒水车，她怎么那么喜欢洒水车啊好搞笑哦。我说，那是她以为你喜欢洒水车想让你看，难道你不喜欢吗？她说，我才不喜欢。我说你以前喜欢的哦。她说可是我现在不喜欢了嘛，我都长大了四岁半了，好搞笑哦表姨。

幼儿园开家长会，老师逐一表扬每位小朋友，对练总的评价是："虽然是女孩，但是饭量很大。"

六一儿童节文艺表演，练总班上的第一个节目是合唱，练总站在最后一排最不起眼的位置，我坐在台下有小小的失落。第二个节目是音乐剧，练总第一个上场站在了舞台正中间，我高兴坏了。音乐开始，别的小朋友唱着歌飘了上来，有蝴蝶，有风，有雨，有太阳……大家唱啊跳啊，只有练总还是站在正中间一动不动——原来她在扮演道具，一棵树。她演得好投入好认真，眼睛都不眨一下从头站到尾，这一幕狠狠地教育并感动了原本爱慕虚荣的妈妈。

快三岁的时候，练总有了妹妹，她由家里的唯一变成了唯二，如今妹妹一岁多了，成天跟在她屁股后面，她做什么妹妹就做什么，她笑妹妹笑，她摔一跤妹妹也会在她摔跤的地方假摔一次。有一天妹妹几小时不在家，我问练总你想妹妹吗？练总想了想说："不想，虽然她很可爱，但是她很烦。"

妹妹几个月的时候练总还说过一句好伤感情的话："妈妈，妹妹太爱哭了，要不你把她放回肚子里，另外生一个吧。"

有一天我在书房看书，姐妹俩在一旁玩，我偷听到练总问妹妹："姐姐乖不乖？"妹妹那个时候还不会说话，她只是茫然望姐姐。姐姐补充："乖就点点头噻！"妹妹就使劲点啊点不停地点。

春节全家出门旅行，酒店早餐的时候，我抱着妹妹拿一盘菜不小心撞到一男的，忙说对不起，对方扭过头吼：什么玩意儿啊！短路了两秒才回嘴：都说了对不起啊。一边说一边眼泪就快冒出来了。旁边练总把头抬起来对着男的大吼：就是，怎么那么没礼貌！男的红着脸嘴里叽叽咕咕走远了，她还在原地跺脚"哼，哼！"

大清早的姐妹俩都醒了，爬在我身上一番折腾，之后妹妹下床了，姐姐滚一边玩，我长叹一口气，姐姐回头问我："妈妈，你是不是想说当妈妈还真不容易啊。"

秋天，叶子黄了，我和练总去家附近的树林里玩。练总说，妈妈，我们捡一张叶子送妹妹吧。她这么说是因为我昨天捡了一张送她，教她把叶子放在书里压平了做书签。她觉得妹妹也应该有一张书签，"妹妹现在还不会看书，但总有一天会的。"

练总说这句话的时候好认真，我蹲下来紧紧地抱住了她，望着不远处随风摇摆的树枝，我缓慢又郑重地眨了四下眼睛，这是我的秘密，很多重要的时刻我都会做这个动作，今天这四下分别代表四个字：我，爱，你，们。

牵着捏紧树叶的练总的手，我们回家了。

第五部分

如欲相见，
我在各种悲喜交集处
>>>

如欲相见，我在各种悲喜交集处

人之一生必需说清楚的话实在不多

坐在墓园中，四面都是耶稣

当你不知如何是好的时候我正打算迁徙

如欲相见，我在各种悲喜交集处

能做的事就只是长途跋涉的归真返璞

——木心《琼美卡随想录》

曾经有过独自在山间生活一个半月的经历。准确说来是一个人住在一户农村人家里，与这家人之前不认识，我给他们钱，他们做饭给我吃，每隔一周换一次床单和被子。房间里没有网络和电视，随身只带了一部不能上网的手机，所有的时间，我只需要面对书本和自己。

这是一家三口，男人、女人和一个五岁小男孩。他们种地，因为居住在一座环境不错的山上，也接待夏天来避暑的客人，给客人做饭，提供住宿。说这是旅馆也行，不过只有二楼的三间客房，我占据了一间。

我住的那个月是秋天了，旅游淡季，基本不住客人，偶尔会来一两个，也是吃顿午饭就走的。这家人的房子不在村落里，就这么孤零零一栋，要走很远的路才有一个小镇，可以买到牙膏、手纸等生活必需品。我的房间推开窗就是后山，茂密的植物长在岩石缝里，枝叶几乎就要伸进窗户里来。这房子就这么靠山而建，屋前屋后都是山，屋前有一条可以通车的路，每天大约有七八辆车子经过（我认真数过），只是经过，呼啸而过，和这里没有什么关系。

住在山里的第一周，人是兴奋的。秋天，山上的树林呈现出丰富的层次，远处的山峰是淡青色，有时还有云雾缭绕在山尖，近处的山林在深绿色的背景下偶尔冒出枯黄和深红，房子不远处是竹林，墨绿色的一簇又一簇，山顶上的泉水流经此地，从竹林深处探出头来，带着不易察觉的声响。

这是个完全不同于城市生活的世界，清晨听各种鸟叫，傍晚走到溪边观察水草，路边摘回叫不出名字的野花插在矿泉水瓶子里，半夜醒来睁开眼睛看窗外，静静等待世界醒来，细心体会明暗交织的美好时刻，其他的时间就是坐在桌前看书做笔记。读的书大多是不得不读的任务——因为要迎接马上面临的一场大考，是的，我是来备战研究生考试的，并没有你想象的那么诗意。

第二周慢慢进入日常，那些刚来时美到叹息的景物渐渐退成一片熟悉的背景，一些具体又微小的事物开始呈现，潮湿的空气和被子，寒冷的夜，临近中午没有食物可吃的饥饿感（开饭时间在下午两点），沐浴间里永远在滴滴答答的水龙头，爬上天花板的壁虎……而这当中，最显而易见的是随时降临的无聊和空虚。

远离了朋友和熟悉的生活，跟这家人没有精神上的交流，除了礼节性问候，几乎整天不说话，山里大多数时候是寂静无声的，五岁小男孩常常被父母带到地里劳动，就我一个人待在一楼一底的房子里，我得学习如何面对无聊，学习与周遭的不完善和平相处，我知道，山间生活真正开始了。

在山里经过的时间和城里很不一样，每一分钟都是具体的，比如你坐在院子里，前三十秒一只苍蝇飞过来停在你衣服上，它移动身体，发出声响，然后你驱赶它，后三十秒你就听着那嘤嘤嗡嗡的声音慢慢远去，这声音和这时间在山林、竹叶、院墙、蓝天的映衬下、就是这么具体，这么空。顺便说一句，在山里，并不觉得苍蝇有多脏，它们只是一个必然而明显的存在。

劳动，第一件驱走空虚的事情就是劳动。洗衣服，收拾小小的房间，到镇上买一块布缝窗帘，走进树林采一种可以食用的野菜……每一天给自己定下一个目标，总是带着喜悦的心情去完成，这种小小的喜悦以及身体的疲乏会带来淡淡的满足感。比如有一天，五岁小男孩告诉我，这座山的深处有野兔，我于是带着"走到可以发现一只蹦跳的野兔的地方再原路返回"的目的进入丛林，两个小时后真的看见了一只灰色的野兔，它在我面前一闪而过，像是上天派来的启示，又似大自然稍纵即逝的灵感。

身体的累带来的是思想的轻松和自由，大脑异常活跃，各种奇思妙想经常出现，劳动让人陷入沉思，如果不是因为考研，我想我大约可以写出些不错的文字了。

在后来的日子里，我和五岁小男孩成为了好朋友，小男孩有一双不大但是清澈的眼睛，他的小脸整天脏脏的，鼻涕流出来就顺手一抹，所以袖口总是发亮，他每次做抹鼻涕的动作我就发出夸张的"啧啧"声，逗得他哈哈大笑。小男孩甚至送了我几条在小溪里折腾几个小时才捉到的小鱼，这小鱼小得刚好能养进矿泉水瓶子里。

这个时候我也才留意到这家女人好看的外表，她皮肤黑，有常年劳动带来的健康的美感，一条齐腰大辫子挂在身后，四十岁左右，笑起来的时候有酒窝（笑声爽朗）。她永远是一副忙碌的样子，即使停下来，眼睛也在四处张望，时刻准备着要做点什么，除了做饭，她扫地、洗衣服、喂猪、种菜、养鸡、训斥孩子和男人——她一直在忙，就算坐着，手里也在织毛衣。回想起来，我见过的大多数农村女人都是这个样子，她们不会让自己完全停下来的，生命永远是"时刻准备着"的状态，只是我以前不曾留意也不曾陷入对这种状态的体察和沉思。

男人看起来要大几岁，他就是那种普通的，不使劲记住就会忘记长相的农村男人，沉默，头总低着，喜欢抽自家种的叶子烟，呃，只有抽烟的时候他才抬起头，眼睛望向空处。

每天傍晚，我和他们一家人坐在院子屋檐下，我跟男人和女人讲述城里的生活，听他们说些家长里短的闲话，大多数时候他们的闲话都和天气有关，天气，这是农村人永恒的话题。偶尔我也帮女人做饭洗碗，不久我们就在一张桌子上吃饭了（刚开始那一周他们把我那一份送到我的房间）。

这是奇妙又平常的一个半月，它的奇妙正在于它的平常，从开始的激动兴奋到无所事事再到后来的真实的山间生活，是一个从无到有再到"无"的过程。谢天谢地，因为是带着任务而来，我没有理由在中途被无聊控制时中断寄居生活，这才得以坚持下来，从而享受到山村生活的美好和丰富。

必须要说的是，我小时候在农村长大，后来也常常回到农村老家，每次住上三五天，长的时候也有过一两周，却从来没有像这次这样真切地深入乡村生活，这可能和时间长短有关，更重要的是每次回老家总浮于亲戚乡亲们的交际应酬，自身也难以摆脱那种不断被人打量和谈论的奇怪氛围，但是在这个陌生的环境里，整个人都放松下来。

这是一种真真实实地活在世上的感觉，从适应环境到认识自己，在微小的事物里发现趣味，不再追求别处的所谓风景（经过一段时间，"别处"已经变成"此处"），转而投向周遭、自身和日常，在单调的生活里，在孤独里，往深处行走，面对最本质的问题。我尝试训练一颗不受束缚的心，不用偏见、情绪化或是成见来看待事物，接受事物本来的样子，融入，成为世界的一部分，就像"下雨了，我们撑起伞"。

最后离开那天，女人特意蒸了一锅我爱吃的馒头打包带上，在门口，我紧紧握住女人的手（我发现我的手已经变得和她一样粗糙），小男孩跑出很远的路送我，我开着车在山路上颠簸，下着雨，眼角是湿的。说起来，这里是他乡，但确实有一种离开故乡的伤感。

经过一个半月的努力，我最终考上了研究生，不过跟这个结果相比，一个半月的山间生活对我而言显然有意义得多，即使是用功利的眼光来看也是这样：我后来还是离开了需要研究生文凭才能混得更好的事业单位，离开了"铁饭碗"的保护和束缚，变成一个自由人。

2008年大地震，那片山林就在龙门山断裂带上，新闻里看到整个大片区有房屋倒塌和人员伤亡的消息，我那时还在电视台做主播，地震发生后的三天时间每天24小时待在余震不断的直播间里，白天黑夜地工作，随时播送地震消息，整个人处在一种高度紧张又疲惫煎熬的状态。直播的间隙，情绪飘飘浮浮，数次想起那栋房子那片山林，想起小男孩清亮的眼睛和女人粗糙的手。找不到他们的联系方式，想托前方的记者打听，自己又说不清楚具体的位置，当初选择那里也是开着车随意停车下来的，只好就这样把担忧和念想搁置在了半空中。

几年前带一位外地朋友去那一带旅行，朋友提议进山看看，我犹豫了几秒钟把车开向了相反的方向，离开那里已经快十年了，地震也是五年前的事了，无论哪种结果，都无法轻松面对。

每个人都是自然的一部分

山村的雨季来了，穿一件薄棉袄还有凉意，早餐吃地里摘下的煮玉米，隐约的甜香飘过来，水蒸气在灶台弥漫，感觉到"雨天厨房里浓郁古老的暖意"。

通常这里都是这样，晚上一阵雨，早晨起来天就放晴了，怎么也热不起来。夜晚听雨点打在树叶上，窗外是竹林，窸窸窣窣的，像有很多人在小心地说着悄悄话，怕别人听见说话的内容，又怕别人听不见他们在说着话。

这是我回到老家的第七天，身体已经完全适应这里的生活，只是有时会有短暂的心慌，无所事事的空虚，会突然感觉到被世界抛弃。

从出生到八岁我都生活在这里，之后每个月回来一次，再之后每半年回来一次，再变成一年回来一次，后来就不怎么回来了。

现在又回来了，或许是想通过住在这里更好地走进自己吧，我从一座热闹喧嚣的城市回来，那座城市正在建设，所有的城市都在建设，永远在建设。每天，那里都有新闻发生，每天都有人遭遇意外，每天都有人在狂欢和哭泣，新闻在不断地歌颂时代，人们在抱怨交通，诅咒环境，所有的眼花缭乱，所有的虚张声势。在这些东西填充的日子里，每个人，都离"自己"更远了。

我带着这些背景声回到山村里，像一只疲惫的老马，因为背负太多而走不动。可是大自然正按它自己的方式在运行，它不会管你正在遭遇什么，它只是生长着，发生着，它永远是这个样子，春夏秋冬，没有什么能够改变。

是那么奇妙，我身体里一部分早已沉睡的知觉正慢慢打开，就像我的女儿，她第一天回到村子里的时候，双脚不敢落地，那些既不平整又湿漉漉的泥土把她吓坏了，可是慢慢的，我看她在田埂上奔跑，那分明是一种飞起来的状态，她正变成这自然的一部分。

我也是，我本来就应该是，每个人都应该是自然的一部分。我就住在爸爸建造的一座房子里，这房子坐落在一条小溪边，房子的左前方有一棵老树，老得没有人能说清楚它的年龄，它的树干需要五六个人才能合抱，它的枝叶繁茂，一点也没有要老死的意思。

老树不死，但有人会死，死亡在这里，在自然里，是一个平淡的词语。

我们的房子隔壁还有一座房子，从我家楼顶望过去，隔壁这家主人正在院子里做木工活，新鲜的木头被刨得平整又光洁，木屑满地都是，爸爸说，主人在给自己"割大板"，就是做棺材。

这位主人大约六十来岁，体格还硬朗，他一边和妻子说笑一边用力干活儿，有时停下来，眯着眼睛看看自己的劳动成果，差点就要躺进去试一下大小合不合适了，我看他露出满意的表情。

小溪对面有户人家，常年只有一位老人在家，老人的儿子出门打工了，老人每天拿着一只烟斗在村里转悠，转着转着就会走到他家屋背后的半山上，那里有一座空坟，是他给自己准备的，他给他的坟除草，有时带一瓶酒去喝。有一天他在坟前骂，哪个龟儿子把我的坟弄脏了。后来听说，不知谁在坟里撒了灰，这叫偷坟，有人见这里风水好，将自家死去的亲人的骨灰撒了些进去，想要好命运。

有一位老人，爸爸说，他很老了，在他临死前一个月，他爬上另一棵老树砍掉了东面的树枝，他跟他的女儿说，他死后就埋在这砍掉的树荫下，一个月后他就死了。

还有一位老人，他也很老了，住在更高的山上，他不愿照相，请我去给他画一幅画像，他的儿子把他扶到院子里坐下，他那天穿着老式的不常见的中山装，坐在一张老旧的太师椅上。我支起画架拿起画笔时，这个威严的老人露出了对这个世界的温柔的表情。在画像的一个多小时内，我没有感觉到时间的存在。

——他们就是这样对待死亡，死不是悲也不是喜，死只是一个事实，一个早已从出生那天起就接受的事实。人都会死，只有那棵老树，永远枝繁叶茂，不会死。"那个谁谁谁，昨天死了。"奶奶坐在老家屋檐下跟邻居聊天。"烧的还是埋的？"邻居问。"死在县城里，只有烧了噻。""啧啧……"

越简单越快乐的小小

经常听人说，越简单越快乐。这句话说起来很轻松，做起来却不易，简单不是你想要，想要就能要。至少，在想着"我要简单"的时候，你其实已经在复杂里待了不少时间了。

因此会特别羡慕那些天性"简单"的人。我身边就有些这样的女孩，她们经历和性格都各不一样，但通常有一点是共通的：不纠结，简单明媚。说得过一点北京话是"二"，我们四川话也有一个词："闷墩儿。"

我们阳光房的小小就是个闷墩儿。

小小是我姨的女儿，她来阳光房之前，姨打电话说：我家小小人简单，有点笨，但做事认真，你多教下她哦。我想，认真的姑娘我喜欢，做服务员吧。

小小看世界常常是非黑即白的，少有灰色地带。她觉得一个人好，就会认为那个人好上了天，她若讨厌一个人，会恨不得把"我讨厌你"四个字写在脑门上让对方看到。闷墩儿小小也藏不住什么秘密，心里想什么总能一眼看出来，而她的那些小心事也真是小得很，但在她自己看来却大过天。

有天晚上我看她一个人坐在吧台闷闷不乐，问小小你怎么了？她说，好失望，刚才进来了个帅锅，长得真是帅啊，我看到他就赶紧坐直了，还把肚子使劲往里吸，可是我才吸了三秒钟就看到他后面还跟了个大美女，名花有主了，真没意思，立马把肚子一松下来了，到现在也懒得再吸啦。

她在说这些的时候，可不是当笑话讲，她是真的失落。当然，在我哈哈大笑之后，她也很快就又没心没肺地傻乐了。

小小对世界有最简单的信任，总是把人性看得很美好，她逛一趟街会给"离家出走没钱买饭吃"的人五十块钱，走过天桥会花两百元买回一对"祖传宝物急着还债低价抛售"的假玉镯子。每次受骗，会难过一下，但是经验并不能使她世故，下一次，她又会睁着一双清澈的大眼睛投入到对美好和好运的想象里。

除了做阳光房的服务员，小小也做淘宝店的客服，每天固定时间守旺旺。有一天路过电脑，看她喘着粗气使劲在旺旺对话框里敲字：你不是傻B，我也不是傻B，没得哪个是傻B，我又没说你是傻B。

吓我一跳，我说小小你怎么能骂人呢？

小小也被我这一问吓到了，她着急地辩解：我哪儿骂她嘛，她说你当我是傻B啊，我就跟她解释，我没说她是傻B，她不是傻B，我也不是傻B，是嘛，没得哪个是傻B……

她越解释我越不明白了，索性去看聊天记录：

买家：今天能发货吗？

小小：有点恼火。

买家：能发还是不能发？

小小：不得。

买家：问你今天能不能发货啊！

小小：搞不赢啊。

买家：你什么意思，当我傻B啊！

点进去买家资料，收货地址广东，可怜人家哪里听得懂四川话。我正告她：我们的客人来自祖国各地，你一定要用普通话和人交流。她这才回过神来，说，哎，我平时每打一行字之前都要在心里用普通话朗诵一遍的，这两天用四川话聊QQ聊多了，搞忘记了。

她那个笨拙又真诚的样子实在让人忍俊不禁，是笨拙又真诚，就算是和人吵架，也是笨拙又真诚的。

小小的直接领导王志春爱骂人，小小经常被她骂得半天回不过神来，比如发现当天有订单发错货了，王志春张口就来：小小你个瓜娃子……小小呢，就张大嘴站在那儿干瞪眼，等王志春骂完一阵风走远了，才闭上嘴吞下口水：妈哟，这一单不是我发的！

小小觉得委屈，每次被骂之后都下定决心下次要骂回来，一个人坐在电脑前仔细排练如何与王志春对骂，但是王志春每次都骂得不一样，到下一回，她又只好干瞪眼。

愚人节这天，小小自然是最出彩的一个，一大早她就给我打电话：姐，谢谢你帮我充话费啊。

不用问也知道是阳光房的姑娘干的好事，我在电话里跟小小说：要谢谢你，愚人节我们一起快乐。

很庆幸我是个乡下孩子

十来岁的时候，外公和姥爹（爷爷）都还活着，我喜欢听他们讲和村子背后山上的彝族打仗的故事。外公是共产党员，姥爹担任过国民党统治时期的保甲长，不知道是不是因为这两个身份的不同，从他们那里听来的关于战争的版本是不一样的。外公说彝族人很凶残，他们有枪，被他们抓去的俘虏从来没有健康地回来，要么死了，要么残了。姥爹眼里的彝族则温和些，我记得无数个天空被夕阳染红的傍晚，姥爹坐在屋檐下，手拿长柄烟斗，我给他的烟斗里添上烟叶，他一边咂嘴一边开始讲：山上那些老彝教嘛，有啥子嘛，就是有点不要命嘛……姥爹从不认为和彝族人的冲突是"战争"，他们只是来抢汉人的牲口和钱财，抢到了就跑回山顶去了，姥爹也有枪，他不怕他们。

当然，这都是解放前的故事了，解放后，彝族人直接从奴隶社会进入社会主义新中国，他们的枪和姥爹的枪都交给了政府，彝族人和汉族人之间的冲突慢慢消失。到我能记事的时候，每到赶场天，家门口总来来往往着彝族同胞，他们身上特殊的气味混合着咿哩哇啦的彝语塞满了我整个童年。

我出生在大西南云贵高原边陲一个小村庄，小村庄位处一座大山的半山腰，再往山顶的方向爬两个小时就是行政区划在凉山州的彝族村寨了，虽然属于凉山，但这些彝族村寨更靠近我们，他们但凡有商业上的需要都会往我们这边跑，彝族人理所当然成为我的成长里从不缺席的一部分。"老彝教"，我们那儿的人从来都是这么称呼彝族人的，"彝族"这个说法太过文雅，放在一个民风彪悍的地方就有点奇怪。

1985年，爸爸是酒厂老板，我妈在我家院子里开了个商店，除了卖酒，也卖些副食布匹什么的，来商店买东西的人，有一半是彝族。赶场的时候，背一筐洋芋下山卖给汉教（彝族人也这么称呼我们），再到商店里买酒喝到太阳落山，临走时给老婆孩子带一包水果糖一块棉布，这是每个彝族人最享受的一天。那个时候，我家院子里常常挤满了彝教，他们大多席地而坐，几个人围坐一堆，每个人手里捏一瓶白酒，面前摆着一封红糖饼，吃一口红糖饼再举起酒瓶喝一口酒，然后嘴里发出"啧啧啧"的感叹，个个快活得像神仙。

神仙们喝完酒就该回家了，但常常有人喝完还想喝，这就又来买，有的人没钱了，就把一开始给老婆孩子买的棉布糖果退掉换成酒，这些又喝完了怎么办？这时候就有人对着我妈喊汉话：阿么老板娘喂，先赊起要得不？阿么，要得嘎？

我妈通常是同意的，她如果不同意，彝教们就去找我爸，我爸爽快得很，二话不说就把酒给人了。喝醉了的彝教走路东倒西歪，村子里的小孩子都有些怕他们，不过他们一旦借着酒劲唱起山歌来，小孩子们就围拢上来跟着穷开心。那歌声准确地说是喊声，是从身体内部崩裂出来的带着一点曲调的喊声，通常是这样开始的："阿么次朵——朵乐嗨……"也有喝醉了打架的，他们自己打，也和汉人打，奇怪的是，不管喝得再醉也不会在我家院子里打，打架的地方通常是村口那棵老榕树下，那棵老榕树长在路边的高处，不少人打着打着就从高处滚下去了，这场架就算是结束了。过不了多久呢，又看见打架的人结伴来我家买酒喝啦。

彝族女人也来赶场，比起男人们，她们要含蓄些，她们对汉人世界里的一切都充满了好奇，而且她们总是那么直接地展示她们的好奇。比如，她们喜欢盯着我看，一直盯着，怎么说呢，仿佛一个穿对襟衣服的汉族小孩不是人，而是一个新奇的物体。她们每个人都长得好看，鼻梁高高的，皮肤黑黑的，眼仁白白的，眼珠子又大又亮，老实说，那么些年我一直没习惯被这些好看的女人这么盯着看哪。

总的来说，我家开这个商店也没赚到什么钱，倒是因此结识了不少彝教朋友，每年火把节，我家都会收到羊后腿，这是羊身上最好的部分，Qiobo们（彝语里朋友们的意思）把羊身上最好的部分送给了爸爸。我记得最多的一次一共收到二十只，太多了吃不完，我爸就叫来全村人消灭了它们。

在那些Qiobo里，有一个叫"纳尼"的人和我爸关系特别好，有一个傍晚，他在我家院子里和我爸喝完一斤粮食酒之后就离开我们那儿去了内地，一年半后回来了，他开着一辆JEEP车出现在我家门口。这个时候，我爸的酒厂已经倒闭，但他还是拿出私藏的好酒招待了纳尼，纳尼几杯酒下肚，把我拉到身旁，从白衬衣口袋里拿出一叠钱放在我手心，那是两千块，那是1990年，两千块多得把一屋子的人都愣住了。纳尼一边给我钱一边对我爸说：小福滴（我的小名）读到哪儿我供到哪儿，大哥你放心，你要是拿不出钱，找我！

后来，在我上大学需要钱的时候，我爸真的拿不出钱了，他把仅有的十万块都垫在了纳尼的一个建筑工程里，而纳尼自己正四处躲债，偶尔也偷偷跑来我家找我爸喝酒。我妈要我爸问纳尼还钱，我爸反问我妈，你想想当初纳尼二话不说放两千块钱在小福滴手板心，我现在开得了口吗？

我曾经上过的一所师范学校，有五分之一的学生都是彝族，他们大多是被保送上学的，毕业之后回到自己的老家教书。在我们班里，我最好的朋友就是一个彝族女孩，她长得很美，嗓子更是出奇的好，这么多年，快二十年了，我们一直保持着联系，每年都会见面。她目前在老家一所小学教音乐，在之前，她做过运动员，歌唱演员，甚至警察，她有着让人唏嘘的人生，总让我想到爸爸那个后来完全失去联系的朋友纳尼。

为什么我和我爸都曾经有一个那么好的彝族朋友呢？是不是我们的血液里也流淌着一些彝族人的基因？现在远离了老家的小村庄，我和爸生活在内地，但我们都常常会被刚认识的人问：你是不是彝族？每到这样的时刻，我总是不正面回答，情愿让对方误以为我就是彝族，我心里充满了这误会带来的骄傲，这是很美妙的。

老家

老家在八百公里之外的攀西大裂谷，亚热带季风气候，常年四季如春，但是今年，很特别地，下雪了。

早晨在成都的雾霾里醒来，我跟自己说，回家吧，这就带着女儿出发了。

回家的路很漫长，把一件事从想落到实处从来都需要经历千山万水，对此我早有准备。吃过早饭后出发，路上遇到天气变化带来的大堵车，等我们的车开进九曲十八弯的村级公路，已经是夜晚十点半，月亮挂在天空，很大很圆的月亮。

全村的狗儿都被女儿吵醒，她望着窗外哇哇大叫：哇月亮，妈妈月亮，哇好多狗，妈妈你听好多狗在叫，哇，妈妈你看山上有雪，好大一坨。

我顺着她手指的方向，果然看见在月亮光下依稀可见的半山腰的雪，雪不算多，远处看去，还真是一坨一坨堆在山脊上，这里一大坨，那里一小坨，背景当然是树，晚上看起来是黑色的树，树是沉默的，雪也是安静的，但在这黑色背景下有那么点跳跃的意思。

打开车窗，彻骨的寒冷，这冷和成都不一样，成都的阴冷无处躲闪，黏呼呼昏沉沉，这里则是清脆干冽的冷，是结结实实的冬天，自然的，春夏秋冬的冬。

奶奶和家里那只叫仔仔的老狗在门口迎接我们，厨房里煮好了一锅热豆浆，屋子外犬吠声渐渐平息，山村里安静了，安静得只能听见自己的呼吸。我们进入房间躺下，盖上两层棉被，带着一种长久疲累之后的满足感入睡，等待着被山村的太阳唤醒。

什么都对了，只要回到老家。所有问题，身体上，心理上，情绪上，大脑里，感觉，思维，呼吸……会都对了，全都不是问题，只要回到老家。睡很少的觉，做很多事，拍照、爬山、开车、聊天、带孩子，一点儿也感觉不到累，时间变得很长，很够用。

在城里生活了十多年，其中一个梦想，是拥有一间带窗户，面对植物，采光好的厨房，到现在这梦想还是个奢望。如今奶奶就生活在我这个梦想里，她一个人的厨房，十几平方，两个窗户，窗外是村里最大的一株榕树，阳光透过树影，听得见风吹过山间，窗内几件简单的厨具被奶奶擦得很亮很干净，静静待在自己应该待的位置上。

奶奶一个人住在这幢两层小楼里，女儿家就在一百米外，每天来看看她，她八十五岁了，除了牙齿掉光，其他一切都好，耳聪目明，自己种菜吃，两年前还养猪。现在我爸不让养了，她没事的时候觉得无聊就去地里帮女儿做事，这些天正是生姜收获的季节。

我爸三年前新修了这房子，把奶奶从更高的半山上接下来住，爸现在住在成都的时间多些，但每在成都待上两三个月身体就不对，就要回来住一段时间，这次也跟我一起回来了。他回家第一件事就是打开地窖看看自己酿的那些小麦酒，58度原浆。他给酒缸擦掉灰尘，挪动一下位置，看看每一处缸口有没有密封好，计划着哪一缸在哪个时候送给哪个孙女。做完这些走出地窖，面对大榕树长叹一口气："还是老家好，我和你妈老了也总是要回到这里的。"这些年他总这么说。

整个村子都很安静，年轻人大多数在外打工，孩子们在镇上的学校寄宿读书。村口的小学废弃了好几年，操场变成晒谷场，冬天也没什么可晒的，偶尔有人翻进去打篮球。去年回家还能见着村头有不少打麻将炸金花的村民，现在也不见了，也可能这次回来得不是时候，不是周末也不是节日。

这次降雪对农作物的影响很大，去四爷家拍照，他和四婶正在屋后自留地里补种四季豆。一个月前种下的四季豆刚刚发芽就碰上冷空气，全部冻死，每家都这样，都得补种，四季豆种子价格也就飞涨。四爷在院子里抓起一把黑色的豆种给我看：看嘛，就这个，四十块钱一斤，还是找熟人买的。

不止是四季豆，小河边的佛手瓜和芭蕉都冻坏了，枇杷的收成也赶不上往年，但总的说来，冬天是土地休整恢复期，整个村子里最重要的烟叶种植并不会受到影响，大家脸上看不见沮丧，来年可盼望的还有很多。

四爷年纪不大，四十出头，村子里很多和他差不多大的人都进城打工，他却不愿意，说在乡下钱是少赚点，但自由，"看不来人脸色，在城里浑身不自在。"他两个女儿，大的十九岁，中专毕业在城里帮人卖衣服，小的十四岁，在镇上念初中，"两个姑娘成绩都不好，超得很，回来又干不了农活，不指望她们。"我问那你老了怎么办？"老了但是还有点用的时候就去帮娃儿带娃儿嘛，再老点啥子都做不起了，还是要回来，要死在这儿才对，两个娃儿老了恐怕也还是要回来哦。"

"要死在这儿才对"，"老了总是要回去的"，这些话，奶奶，爸爸，四爷，他们都这样说着，像说"明天可能要下雨"，"今天晚上吃腊肉"一样随意和自然。

我想，我老了，恐怕也还是要回来的。

"一个彻底诚实的人是从不面对选择的，那条路永远会清楚无二地呈现在你面前，这和你的憧憬无关，就像你是一棵苹果树，你憧憬结橘子，但是你还是诚实地结出苹果一样。"

当你温柔地对待你的生活，你想
要它成为什么样子，它就会变成
什么样子。停下来了解你的内
心，找到温柔之处，你的灵魂也
会随之起舞。

我的梦想就是把每一时刻的自己照
顾好安顿好，尽量让人生变成一件
作品，而不是产品。

慢慢地这样做了，就会惊讶地发现：你越来越不需要做出选择了，人生正在向你呈现出不需要选择的道路，那条路就在那里，你只需要往前走就好。

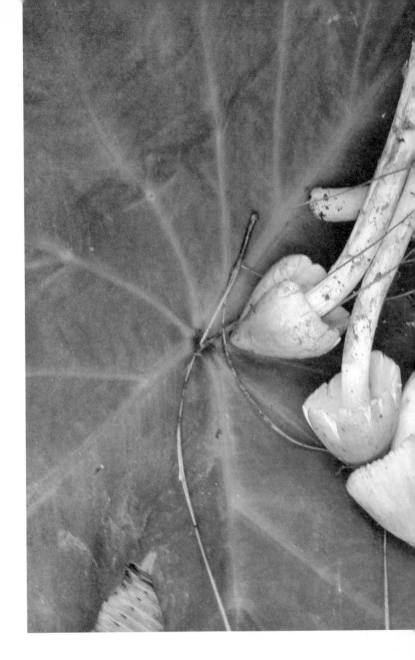

每一段时光都无所谓好，也无所谓坏，只是享受活着的感觉。

我们不断地变，不断地出发，就是为了有一天，可以
不变，可以任世事变化，我自云淡风轻。

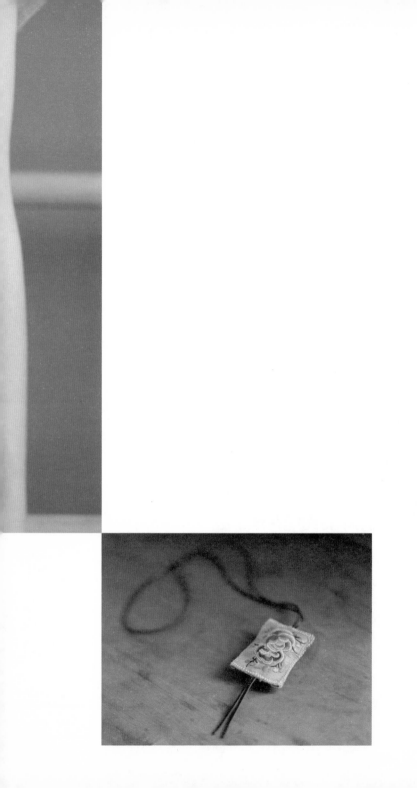

简单劳动可以让思想更加自由，人处在一种简单的琐碎中，心灵反而更放松，精神世界的升华不一定是读了多少书，走了多少路就能完成的。

我就是要慢慢地过日子，每一天都长长的，只是盼
望，不是什么目的，不是期待，没有期待。

外婆和外公

外婆和外公，他们面对死亡的态度曾经让我费解。外公在我十三岁那年离世。我记得他永远是一副要与病魔抗争到底的姿态，每当疼痛来临，他咬紧牙关鼓起双眼，像个随时准备上战场的战士。他每天按时服药，坚持散步，生活有规律，用力地活着。尽管死亡一天天逼近，他却是一点也不相信的样子，随时企图要逼走死亡。在最后的时刻，他抱着他的两个女儿亲吻，每一个细胞每一次呼吸都在表达对生的不舍。

五年前去世的外婆则没那么积极，去世前半年我见过她，那个时候她的身体已经完全变形了，她皮肤发黑，眼神混浊，整个人被病痛折磨得不像样，她坐在火堂前添加柴火，火光印在她的脸上，我清楚地看到她一张脸上深深的皱纹，以及皱纹上一层薄薄的灰尘。她抬头望我，露出的竟然是孩童般的笑容：蝴蝶回来了哇，进来坐。

我就坐在她身边，小心地坐着，和她一起看着火堂里的柴火。柴火之上是一壶水在等着沸腾，时间好像停止了，我一动不动，生怕惊动什么。外婆却不，她用颤抖的手从衣服兜里翻出一颗酥心糖，掰成两瓣，一瓣放进嘴里一瓣递给我。她说，蝴蝶，吃哦，甜哦。她坦然接受死亡的降临，从不打算反抗或者争取什么。她不再吃药，却每天嗑瓜子。

外公和外婆，一个积极中映照出恐惧，一个消极中却透着乐观，而到底哪个，才算是勇敢？我想这是一个女人和一个男人的不同，又或者一个母亲和一个父亲的不同。

外婆结过三次婚，生过八个孩子，活下来的有六个，据说在那个年代，这算成功率高的了。我无法知道也无从想象在抚育孩子的过程里她所经历的，只记得她嗓门大，爱骂人，时刻以进攻的姿态保护自己，所有悲哀和苦痛都写在脸上。她面对死亡的态度就是她面对这一生的态度：被动承受，坦然接受，在大悲观中坚持着细微处的乐观。这些特质，在我妈身上也有。

大饥荒年代，外婆偷过东西。外婆家隔壁就是村子里的粮仓，外婆指挥外公在墙上钻出个手电筒大小的洞，然后她做一把长柄木勺，每天挖一点点粮食过来，这才救了一家人的命。据说外公一直为这事耿耿于怀，偷东西总是不齿的。外婆却没有丝毫纠结——在一个母亲的心里，孩子的命胜过所有。她事后谈起，是自豪的。

大概女人都是这样：容易妥协，逆来顺受，也不抱怨。而一旦认定的事情就会觉得理所当然，甚至包括爱上一个人，或者人渣。所以，女人不爱讲道理，女人的世界里只有"认死理"。

而男人呢，看一个男人如何，恐怕要看他爱上了一个怎样的女人吧。

一个男人最高的品位，就是他选择的女人。

电影《冷山》里，那个在战场上渴望归家的男人，需要克服的是难以想象的直接的困难，而战火之外的冷山，他的女人，一天天对抗粗粝的生活，在一片荒芜之地等待。说不上哪一个更难，但如若将他们的身份对换，恐怕都不能走到电影结束相见的那一刻啊。这两种坚持本就分属于一个女人的隐忍和一个男人的勇敢。

翻过一座山，看见前面还有一座山

宝宝在肚子里6个月的时候有一天见到几年没见的一位好老师，是在一个阳光明媚的秋天，树叶落了一地，她看着大肚子的我走进屋内，笑着的脸就流下了眼泪，她说，我觉得你还是个小女生啊，怎么要当妈妈了，心疼。

没错，她在说"心疼"，我有些诧异，被她这句话杵在那儿站着，半天回不过神来。因为一般的朋友看见我这样通常都会说真好啊恭喜啊男的还是女的啊诸如此类的话。也许是因为她许久不见我了，也许是她想到了自己的人生，总之，那个时刻她是在为一个女人的生命感慨吧，我也被她搞得鼻子发酸了。我们是无话不谈的师生，她是我人生路上很重要的一位忘年交，这么多年书信往来，她一直把我当朋友，或者孩子。

理解她的感受，因为我有时候也会那么想的，我觉得我自己都还没长大，怎么就开始老了。就像山坡上的一株野草，一阵风过雨过，什么都还来不及听来不及看，风就过去了雨也过去了，新的一场风一场雨又要来了，来不及道别，又匆匆迎接。

而生孩子，成为一位母亲，大约就是"开始老了"的最明显表现吧。慢慢长大（变老）的过程就是慢慢去承担责任的过程，一个生命要对另一个生命承担责任，这不是一件轻松的事情。特别理解那些一辈子不打算要孩子的人，我以前也这么打算过，我是这么想的：我自己的人生都乱七八糟，自己的人生都承担不了，生个孩子不是添乱么。

好在人并不都是清醒和悲观的，有时候在迷迷糊糊中（或者头脑发热）做出的选择就这样决定了一生。现在，多么不可思议，我已经是两个孩子的妈妈了，现在，每每想到那张深秋明媚的阳光里老师笑着流泪的脸，幸福又伤感的情绪就扑面而来。

小女生慢慢长大，慢慢知道那些迎面而来的不可改变的事物，那些躲不开的命运，你除了全然接纳，没有别的办法。生命就是翻过一座山，然后看见，前面还有一座山。

懂得了这一点，其实也就释然了，幸福又伤感地释然了。

早上出门上班，我顺手拿起围巾挂在肩上，妹妹看见了，她跌跌撞撞跑过来用力拽围巾，她要把围巾拿开扔在地上。她一岁半了，她懂得围巾和"妈妈就要离开我"之间的关系。最近两天她都是这样，她一开始并没有闹，只是用力拽啊拽。我蹲下来紧紧抱住她，狠狠地亲她，再离开时她还是瘪嘴哭了，我在她的哭声里离开家门，在她的哭声里加快脚步。

这是平常的一天，姐姐去幼儿园了，妈妈要上班，这是一个小东西在表达她的委屈和依赖，妈妈就在这样的依赖里往前走，幸福着，也伤感着，翻过一座山，看见前面还有一座山。

第六部分

亲爱的朋友

>>>

宁远的正面肖像

文 | 洁尘

跟宁远认识好些年了。说来跟停车场很是有点关联。

第一次见宁远，是在2008年年终的一个活动中。她上台领奖，我在观众席里观礼，哦，这是那个"史上最美女主播"。跟很多观众一样，在5·12地震期间，我也被她在主播台上的坚守和哽咽所打动。那天，她的长卷发在发尾拧成两个小辫子，短裙，一双齐膝的靴子，窈窕轻盈。活动结束，大家鱼贯而出，她走到我面前，笑眯眯地说，洁尘姐姐，我叫宁远。寒暄两句互致告别后，她走了几步又转过头问我，姐姐你拿停车票没有？我笑说拿了的。那个活动是在一个五星级酒店，停车费贵得离谱。我之前去参加过那里的一次活动，因为忘了在活动主办方那里拿停车票，待出地下停车场的门时，被相当高额的停车费给刺激了。宁远想必知道这个停车场的"名气"。初次见面，马上领会了她的细心和体贴，还有一份令人欣悦的实际作风。

好多年之后，我和她一起在一个地下停车场盘桓了一个小时。那天是和她一起参加一个读书分享会，然后说好坐她的车去她工作室吃火锅。因为赶时间，她停好车拔腿就往活动现场跑，没有去记车的位置。那是城北的一个新的商业中心，地下停车场有三层，每一层都浩瀚无边。我跟其他几个朋友跟着她找车。问她，摁一下钥匙，叫它试试？宁远回头说，它不叫唤的。又问，什么颜色的车呢？她又回头说，记不得了，我临时从朋友那里抓的。这样找下去不是事啊，停车场有监控录像，可以大致按时间去查一下进场车辆，于是再问她，那想想车牌号？她再回头，忍不住苦笑：我不知道。我朋友没接电话。那次是我第一次也是唯一一次见宁远脸上流露出了焦虑的神色，而她焦虑的是这么些个朋友跟在后面一起找，其他朋友正陆续赶往工作室，而那边还有一大堆晚餐的准备工作。她说，你们站在这里等着歇会儿。她卸下双肩包，在停车场里跑来跑去东探西寻。最后打电话找朋友问到了车牌号，终于大海捞针把车子给捞出来了。找到车的那一刻，宁远笑开了花，像吃到了糖的小女孩。

今天坐在这里写一篇关于她的文字，我突然发现，对于宁远，好些东西都止于印象，无法落实。

比如，我知道她是米易人，在那里出生长大。后来呢？来成都上学，什么学校？什么专业？再比如，在认识她之后，我知道她既是四川电视台主持人，又是大学老师。什么大学呢？教什么呢？又比如，我知道宁远是她的笔名，她本名是什么？依稀记得姓张。……

我想，这是我这些年来聚焦于一幅肖像的主体人物的缘故。这个叫做"宁远"的女人肖像，主体太鲜明了，背景也就不重要了。

在成都，宁远是我的朋友，但不算我的闺蜜。她比我年轻很多。而我和我的闺蜜在一起都混了二十多年了，彼此之间的得意、失意、长处、短处，所谓根根底底脚脚爪爪，都太清楚了。前不久，我先生出门旅行，几个闺蜜在我家簇拥一个厨娘做饭。饭后，做饭的累翻了，吃饭的撑翻了，沙发上各种东倒西歪，大腿明晃晃的。这就是闺蜜之间的相处。有一次我吼一个闺蜜，她撇嘴说，又抓狂发飙，还温婉知性女作家呢？！

宁远的几个闺蜜我都认识，她们几个差不多同时都生了女孩。妈妈们是大闺蜜，孩子们是小闺蜜。想必她们之间也另有一番东倒西歪亲昵相处的风景。

对于我来说，宁远是一个正面端坐的朋友，美丽的面孔笑意盈盈。她这样正面对着我，真好。她长得非常好看，又素净又娇媚。

但如果只允许我用一个词来形容宁远，我想，我会毫不犹豫地用这个词：朴实。

朴实，与其说是一种评价，更应该说一种赞美，尤其是放在现在这种语境里，能够担起这个词的人，不多。宁远是一个。

她有一种与生俱来的朴实。难得的是，这种朴实一直在她的身上，不曾磨损。很多人现在更多见到的是素颜的宁远，宽松衣服，纯棉或亚麻的质地，短发、平底鞋；而我见过浓妆的宁远，"金话筒"得主，晚礼服、红地毯、长卷发、高跟鞋，端着红酒跟人寒暄微笑应酬，但那时的她依然朴实。有人说，不做主持人的宁远洗尽铅华云云。这话不对。我认识的宁远，铅华就是晚上临睡前及时卸掉的化妆品，不怎么损伤皮肤。有一次，大家约在小房子酒吧玩，宁远做了节目赶来，坐在角落里仔细清理残存的浓妆，然后踢掉高跟鞋，蹦到桌子上跳舞。她临镜卸妆的时候，那手势那动作，相当有劲道。她没有注意到我正在仔细地看她。

宁远的朴实有一种阳光的味道。她的家乡，米易，是一个阳光饱满的地方。她从小被阳光浸透，所以工作坊取名为"远远的阳光房"。而在我的印象里，她也总是跟阳光这个概念联系在一起。

她已经出版的好几本书，她设计的"远远的阳光房"的衣服，她的水彩画，她忙碌时额头上闪烁的汗珠，她工作坊出售的各种新鲜果子，还有那款叫做"喜家酿"的小麦酒，都有阳光的味道。

晴天里晒了一天的白衬衣，收回来时放在鼻子下一闻，就明白什么是阳光的味道了。阳光的味道里有劳作、有辛苦，更有放松的芳香。

宁远是太合适阳光这个概念了。她给人的印象举重若轻，就有那种放松的芳香。其实，她管理着有着几十个员工的"远远的阳光房"，是首席设计师，还是模特儿，另外负责两个微信公众号；她还是作家，是私家电台的DJ，另外，她还要画画、做菜、组织聚会、参加公益活动……关键是，她是两个小女孩的母亲。前不久我在阳光房玩，晚饭前员工们三五成群说说笑笑地收工出门。我对宁远说，你们员工之间好亲密哦。她说，那是，都是一个村一起长大的。她还是家乡年轻人的领路人。要维持运转这一切，需要多少的精力和心力啊？！但每次见到宁远，她都是从容柔和的，一切如拈花一般的轻巧。我喜欢这样的人。你再累再烦，那是你选择之后必然伴生的东西。你可以不选择，但选择之后，除了咬牙咽下，还能怎么样？！ 我喜欢选择之后镇定担当的人。

对于我来说，宁远是一个正面肖像。她的才华，她的热情、她的周到，她的情调，她的吃苦耐劳和种种巧思妙想，都给人以美好的感觉。至于说她必然会有的那些颓唐、不耐、烦躁甚至痛苦，都留在了背景里，而这个背景会随着她的成长一点点深入，进而愈发衬托出肖像主体的明艳照人。

　　洁尘：定居成都的职业作家，出版作品《酒红冰蓝》，《流年》，《一朵深渊色》等。

有一种生活方式叫阳光房

文 | 徐哩噜

远远的阳光房现在是名副其实的了。它在成都西郊，位于高新西区一个工业园区，临近郫县犀浦，离绕城高速近，离市区远，是"远远的"阳光房。朋友们三不五时被邀请去小聚，大家嚷嚷着"太远了太远了"，远天远地奔过去，结果，心满意足回来。

每次去阳光房，好像都一样，又都有点不一样。

阳光房的招牌，是一块约莫17寸笔记本大小的拼木，刻着店名，蓝色颜料显然是手填上去的，朴素可亲。进门经过一溜新衣，对角就是女主人宁远自己画图设计，再请木工师傅手工打制的三张原木沙发椅和一张茶几，茶几前大大的棕蒲团垫和碎花棉垫就堆在地上。背后半面墙都是书架，散放着书和小物件。其他墙面上挂着大大小小的照片和画作，有宁远给自己的书画的彩铅插图，也有她和朋友的油画。

这间屋子里，应季鲜花是总有的，不经意似的出现在桌子、老箱子、暖气片上。窗前一把满天星，插在深蓝黑色的粗糙砂罐里。那砂罐，原是本地人用来煎药用的寻常药罐，几年前我们一起在陶玻市场后面用十块钱淘到它。也有雅致的彩釉瓶，每个花瓶都不一样，它们和主人在不同的地方遇见，先后被带回家来。墙角还有一台老式缝纫机，被当做象征保留了下来。

作为常客，我发现屋子里新添了画架，一个斜搭着新款背心裙，一个挂着小幅素麻手绘壁挂。前不久这里刚开展了一次手绘布艺活动，聚集了成都喜欢画画的姑娘们在包包、抱枕或壁挂上进行手绘。落地窗前低低的木台很是吸引人，四四方方，摆满多肉植物，种类和数量都比上回多了。

装饰摆设的小变化常有，但每次不管随意走到哪个角落，那画、花、或者一小篮松果，都那么自然，好看。把一个地方变得舒服又好看，也算是宁远的一大爱好。从最初选址到后来搬家，阳光房的装修、装饰，以及之后不断变化的样子，都是宁远按照自己的心意设计的。她爱美，爱"持续思考何为美"，也爱创造美。

这里整个空间宽且高，布置清新随意，叫人自在。挑个周末，坐垫席地摆开，就变成城中许多女人前来画画、做手工的地方。而对闺蜜们来说，只是窝在宽大木椅上喝喝茶聊聊天，就再舒服不过了。

此时，宁远四岁半的女儿小练跳上跳下，大家立刻放松下来，掏出自带的巧克力和其他小零食，菊花薄荷茶也泡好了。但女人们并不像在其他有女主人照料的客厅那么安心。有人明显心猿意马，魂不守舍。很快，两三个人率先坐不住了。她们迫不及待试起挂在旁边的衣服裙子来。

这个四层楼房其实是个制衣工作室，比作坊大，比工场小。一楼是拍摄、展示、会友的空间，一楼的错层办公，二楼存放布料和打版，三楼是裁缝区，四楼员工食堂。

我们在楼下喝茶闲谈，试衣穿鞋。从楼梯往上走，楼上的大风扇呼呼转着，到处是布，楼道里一位师傅把一包包布料背上背下的。打版室的墙面上挂着咖啡色的衣服版样，看起来很专业的样子。有一间专门的布样陈列室，满墙整整齐齐摆着布样，叠成小方块，一格又一格，注视着一个姑娘在桌前埋头安静做事。那些布，有许多是宁远亲自去各地布料市场用手摸过，一块块找回来的。再往上走，几台缝纫机排成两排，走个不停。大约七八个车工神情专注，机器声倒是此起彼伏，节奏欢快。下午时分，四楼厨房已经有人在忙活，露台上，阿姨把新到的粉红丝料洗好了，正往晾衣杆上搭，看见我，呵呵一笑。

到了傍晚，桌椅、桌布、餐具一上，闺蜜们就在阳光房的衣服们旁边吃起晚餐来。菜是家常味，阳光房食堂的阿姨做的，有一道绿绿的羹汤叫"懒豆腐"，味道不错，让第一次来的女友很是稀奇。这是宁远教给厨师阿姨的家乡菜，把青豆磨成浆，炒一把嫩南瓜丝，再把浆丝合煮，放点花椒和调料，就好了。只是煮豆浆，懒得点成豆腐，所以叫"懒豆腐"。

还有成都菜藿香鲫鱼。"藿香叶子是自己种的，是小练专门找到嫩的掐下来的哦。"宁远提醒说。食客们于是纷纷吃上一口，格外珍惜，边吃边说"太舒服了，和在家里一样"。

还曾经有一些朋友围坐在地上煮火锅，照片在朋友圈一发，瞬间拉起各地仇恨。这样的聚餐，想不宾主尽欢都很难。

阳光房的工作和生活就这样在同一个空间里融洽相处着。

徐哩噜：大学教师，小红马儿童会创办人，写作者，出版作品《创生记》。

我认识她的第十年

文 | 丸子小

十年前两个愣头青认识的时候，一个爆炸头一个满脸痘，那时爆炸头想写书，满脸痘想写诗。十年后，爆炸头一直在写书——的序，为满脸痘。而满脸痘摇身一变，已成企业家。很明显吧，爆炸头是我，满脸已无痘的是她，"远远的阳光房"的房主：宁不远。

其实我现在习惯喊她：企业顾问。拥有三十多名员工的阳光房，在她的操持下，愈发欣欣向荣，貌似举重若轻的她，实际上付出了很多努力。So，她有足够的经验指导创业路上的我。

实际上，我走上摄影道路，和她不无关系。在那个被摄影燃烧的年代，身边能逮住的美女无一幸免的被我拿来练手，才貌双全的她当然也必须是我的御用模特。

有一位正当红的主持人当模特，那好处是大大的。我们在她家里玩儿时，窗台上随便拍几张，就被送上网站首页：美女主持闺房秘照；怀孕时她在镜头前妖娆的左右扭几下，直到现在还有客户点名要求：就拍宁远那样的；当我一直遗憾没有拍到新生儿的时候，气气出生了，十天的时候我冲到她家，各种折腾，这就有了《真怕你是个乖孩子》的封面——我一直给她强调，再版的时候把我名字打上去！一个好的模特就是这样促使一个摄影师诞生的。

事实上，为她拍照，摄影师的存在感很弱，因为她太会引导镜头，给她拍照，其实就是个按快门的，导演仍然是她。如同她总能很顽强的主导自己的生活，即使丢掉主持人的光环，变身一位手艺人，她的生活仍然活色生香。旁观者会认为她很幸运，总能遇见美好的工作和生活。实际上，她换任何一种工作，你都会觉得美好，她的一个特殊功能就是把任何一种生活，都过成美好的样子。

她还有个特殊功能是，总是会吸引和制造很多同类。刚开始有人愿意付钱给我拍照时，她就伙同哩噜撺掇我辞职，看到那种一个女孩拿着相机四处旅游的画面时，就给我说，那就是你啊！就是你啊！

我真想给她俩一锤，我辞职了吃什么穿什么用什么，近朱者赤近墨者黑啊，这念头太凶残了，我一个弱女子承受不住啊。后来，她在丸摄影定了拍照套系，帮弟弟定了婚纱照，帮妹妹定了摄影班，她用自己的钞票一直在给我信念：走出去，走出去，绝不会比现在差……

回看这些年，她的事业和生活越来越开阔，因为——得道多助失道寡助。她从不吝于自己的鼓励和赞扬，也大力推荐身边有才华的人，也许于她是无意识的，非刻意的，善良与真诚是她本性里的特质，不是有句耳熟能详的话么：性格决定命运。她出生时抽到的上上签，让她的人生也拥有上上签。

现在，我已经辞职两年半了，"丸摄影"也从当初的夫妻档，变成了一个工作室。我从来没后悔过当初递交辞职报告。让梦想为生活买单，是我这辈子最值得骄傲的事。我也很幸运有这样的朋友，她和哩噜，一直在我心底最深处，可以不常联络，但在那里就好，大概底气就是这样形成的吧。

丸子小：曾经的电视台编导，现在是一名写作者，职业摄影师，"丸摄影"工作室创始人。

远远地看着他们就好

文 | 老鹰

从来不在网络上买任何东西。

人是有社会属性的，需要沟通交流。面对面坐着，进入到另一个精神世界中去欣赏倾听，同时也完全任由对方在自己的灵魂里流淌……这时候你难以去想象你的交流对象隐身在一张巨大又看不见的网中甚至你根本不知道TA是否存在。所以没有QQ没有围脖没有微信没有支付宝账号没有……一切和这个时代相关的东西，也不觉得有任何不适之处，因为我有书，那才是我心灵安放的地方。

我和书有缘。

有次搭同事的车回公司进地下车库，停下车同事充满羡慕嫉妒恨地评价停在旁边的一辆豪车，而我却看到神奇之处：车窗外居然端放着一本书。也许是这位陌生车主用这种方式来和陌生的朋友交流吧。我满心欢喜，不虚车库行。

此行我其实是来到了一个米易的小山村，认识了小福滴和小贝壳。她们俩背着鸡蛋偷桑葚，我在旁边看得哈哈大笑。还认识了田气气和包老田，那种吵吵闹闹的爱情包含着不动声色的柔情。当然还有那只叫白眼仁多的小猫，它无辜的眼神穿过时间的灰尘，闪闪发光……

书的最后，小福滴说，她和小贝壳们在一座少有阳光的城市经营着一家叫阳光房的小店，是网上小店，但她们的工作室也对外营业。

我长舒一口气，如果只是网店，大约就这样了。

我去了那座城市，找到了那栋叫阳光房的小楼，它站在一群高楼大厦中间，灰色的，当然也是倔强的沉默的朴实的。和这栋楼一样，阳光房里面挂满的衣服也拥有属于它们自己的独一无二的气质，我确定我和它们有精神上的交流。

有个女孩接待了我，直觉告诉我她就是长大了的小贝壳，这种直觉仅仅依靠她脸上绽放的阳光般的笑容。小喜也在（憨厚，高，当然很胖），他坐在吧台里的电脑前，电脑上是她姐小福滴穿着阳光房各种棉麻布衣的照片。这是个下午，有音乐有一点点阳光，当然还有书。我随手拿出一本坐在角落里，这个下午安静又温暖。

事后我想，这样的小楼，这样的可以看书发呆的地方到处都是，我为什么偏偏要坐飞机去这座遥远的城市，凭一本书，找寻到这样一个地方？为什么会觉得这个下午和很多下午不一样？总是有什么精神性的东西吸引了我吧。

没有问宁远在哪里，没有说我是《远远的村庄》的读者（半个偷书贼），当然也没有说贝壳小喜我认得你们，我只是去了又走了，就像从来没去过。

但我会在心里感激这个地方，感激小福滴和她的伙伴们，他们是这个现代社会里坚持做梦，也坚持把梦想过成日子的人。

坐着当天的航班又回到了我生活工作的城市，一切如昨，但总有什么在内心经过。

不知为什么，想到阳光房心里就会温暖，有时还会莫名其妙的感动，就希望阳光房里的人永远住在阳光里，而我就这么远远地看着他们就觉得好。

远远和乡愁

文 | 颜歌

不在成都的时候，我时常想起宁远来，想起她，就像想起了过去的故乡。

仔细想想，宁远和我故乡的过去其实毫不相干——我听说她名字的时候很早，认识她的时候却很晚。我认识她的时候是2010年，这个城市的过去已经不见了大半，我和她在宽窄巷子里见到：说了好多次，终于见了面。她穿着米色的衬衫，笑起来甜甜得像个桃子。

我们的见面其实是匆匆的，几个月以后，我去了美国念书。想家的时候，我想起成都，想起二环路的紫薇树，想起玉林落了一地的女贞花，想起故乡的饮食，想起喝过的好酒，我还想起了宁远。

我只匆匆见过她一面，看过她的书，看过她主持的节目——也算不上什么特别的缘由——但我却在异乡想起了她，想起她，就像想到过去的故乡。

有时候最难将息的是下午，我熟悉的思念的故乡人都睡着了，我就去网上看她的微博，还有博客，一页页翻过去，一直看到2007年，2008年。我看到她和女朋友们在一起，靠着对方肩膀拍照片；我看到她有了一个小小的女儿，装在襁褓里像个粉团；我看到她拿出花布匹来，缝着玩偶、袜子或者毛巾；我还看到她有时候也写到故乡，写到攀枝花的米易县，那里的山和树木、阳光和水果。

就是这样子，我想到遥远的故乡，便想到了宁远，满满的一胸怀都是温暖和惆怅。

有时候我在网上一声声地喊她：小远，小远，小远啊。她就说：哎，哎，哎。她说等你回来，等你回来了我们要一起喝茶吃饭看书，还有谈天。

过了一年多两年，等到我回到了成都，离我所思念的一切都近了——我就住在这个城里面，打一个车过去就能见到我的朋友们。但是，在这里，我所熟悉的一切都不见了。

它在我离开的时候发生了微妙的变化：起了更多的高楼，购物广场，地铁还有高架桥。到了冬天，它像蛇一样盘踞在平原上，吐纳着尘霾，不言不语。我丢了一个手机，丢了所有的号码。在漆黑的冬夜里我一个人下楼散步，就着隐约的灯火，就像走在某个更远的异乡。有一天，我在网上见到宁远，我说我想念过去的成都。她说，2008年就像一场梦。

我们都太伤感了，甚至不知道如何去见面。而她又忙碌起来，辞了工作，专心地设计服装和写作，把工作室搬到了城外，种植花草和蔬菜，招呼起亲戚和裁缝来，忙忙碌碌地做衣服和鞋子。好长一段时间，我以为她很忙了，没有怎么和她联系，她却说："来，来我这里玩。"

我已经成了一个害怕出门的人，但终于到城的西边去见她。我不会开车，就搭了别人的车，一路上，车上的姑娘叽叽喳喳讨论着她做的裙子和衣裳，说的和听的都开了心花。

我想不起来我有多久没有见过她了，而她就站在门口等我们，穿着一条极好看的布裙子，笑起来招呼我。她还是那颗红粉粉的桃子，我心里一下子暖了。她拿出蔬果和酒水来招待我们，有番茄，有无花果，有花生，有桂花糖，薄荷茶还有枇杷酒，她把这些都摆满了一桌子才有空坐下来，笑着说："来吃东西，来喝茶。"

我们就吃零食，试衣服，聊天，喝茶。我们是吃白食的客人，也是撒娇的懒孩子，坐在她的沙发上就不走，吃着糖，又要讨酒喝。大家笑起来，一起说话，有人试穿一条裙子，在镜子前面摇曳。我有些恍惚。许久以来，第一次地，我好像回到了从前。

于是，我这才发现，当更多的人如前朝旧人般感伤落泪时，宁远找到了新的地方，把故乡重新种了下去。

我们都是伤感的人，都不愿意忘记过去的美好，所以我在纸上编了一个故事，而她在土地上开始了劳作。那一天，在远远的阳光房，在宁远的身边，我重新真正想到了故乡，想到了故乡之所以成为故乡，并不是因为那些破败的街道，那些老房子，那些树木。

我们怀念的故乡有我们的亲人，母亲和父亲，兄弟和姐妹，他们温暖，善良，正直然后倔强。他们笑容和双手可以融化一切，抵抗一切，留住一切又创造一切。

那天走的时候，我拥抱了她，并且叫她小远。她还是那么小，那么瘦，微笑起来的脸永远有着孩子的稚气。

她说以后要经常来。我说好的。我们开车走了，她站在门口对我们挥手。她不知道这一切的意义，但我一定会再来这里，时常地见到她。因为，在这个越来越陌生的城里面，我需要想起她来，然后见到她——想起她的时候，就像想到过去的故乡那样。

　　颜歌：80后写作者，小说家，出版出品《五月女王》，《声音乐园》，《我们家》等，中国青年作家学会主席。

我爱的人，他们已经出现

　　——与祝小兔关于"做衣服"的问答

祝小兔：能跟我说说你的一天是怎么度过的吗？

宁远：每天上午在家，中午去工作室，和同事们吃完午饭后就开始工作，傍晚六点回家，陪孩子，做家务，大约十一点再做自己的事，通常是十二点睡觉。

祝小兔：小时候你的记忆里有发生跟现在做的相关的事情吗？

宁远：小时候就特别喜欢做手工，很小就会织毛衣，第一件作品是一根毛线裤腰带，本来是想织成发带来着，可是织到足够的长度了不会收针，妈妈又不在家，只好不停地织啊织，等到妈妈回来已经长到可以送给外公做裤带啦。外公那个时候穿老式的大脚裤，很需要这样一根裤带，哈。

祝小兔：你是怎么开始做衣服的，怎么入门的？

宁远：之前一直喜欢手缝布包，怀孕的时候照着网上的教程加上自己的理解给宝宝缝罩衣，比较完整地做出一件真正的衣服是在几年前，拆掉一件喜欢的衣服，把每一块比着形状画在纸板上，再找来另外的布剪下来缝合，这之后又把拆掉的衣服再组装。很笨的办法，但是很有用，这么做一次就对服装的结构，做衣服的步骤和工艺有了解啦。

祝小兔：你眼中如何定义做衣服这项手艺？

宁远：我觉得这是一项很高贵的体力劳动，是身心合一的修炼。

祝小兔：做服装工作室后特别感动的事情是什么？

宁远：有一个女孩写信给我说，她每次穿上我家的衣服就会有"要好好做人"的感觉。这个让我特别感动，我觉得这就是物质所蕴含的精神的意义吧。

祝小兔：尽管我也买过布料，去裁缝店做过呢子大衣、连衣裙、衬衫，甚至旗袍，可自己亲手做一件衣服从未真正实现过。心中对做衣服这件事有种莫名的憧憬，做衣服整个过程是怎样的？

宁远：完整的过程大体是：创意-画图-电脑制版-选料-裁剪-车缝-熨烫-手工。这些顺序可能会根据情况有调整，比如我有时比较喜欢拿到一块布之后再来想象它应该做成一件怎样的衣服，比如车缝的过程里可能需要先熨烫再车缝。

祝小兔：怎样能不断打磨技艺呢？

宁远：除了多做多思考，好像没有别的办法。

祝小兔：灵感是怎么来的？

宁远：我想老老实实地做衣服，"灵感"这两个字想得并不多，也可能它一直在产生，但我没有特别注意到它的存在。

祝小兔：你的理念是什么？

宁远：我希望衣服可以改变人心，说得更明确一点，希望衣服也可以用特殊的方式改变世界，这不知道是不是理念，或者叫野心？

祝小兔：几年前我看你做衣服，那时还是一个小有名气的主持人，只是跟别的主持人不一样，生活里喜欢穿宽松的布衣服，给人的感觉特别舒服、自然，没有雕琢之气。做衣服，觉得你也只是一时觉得好玩，没想到这么多年过去了，你还在做衣服，并且做出了一番气象。为什么会如此着迷？

宁远：我觉得任何一件事情，你只要深入进去，都能发现乐趣，可能我碰巧在做衣服的道路上走得比较远了吧，这么走下去，越走越好玩，它一直有新的目标需要你去克服，你可以做得更好，但一定不是最好，所以就一步一步地着迷了。到我这个年龄，那种可以轻易达到的，感观的，刺激的东西已经吸引不了我了，那些比较难达到的，但是可以通过努力往那个方向去的事情对我有吸引力。另外，我的坚持除了喜欢，还有一个重要因素：做衣服养活了我，这让我觉得特别踏实。以前做主持人，常常会感觉到你的命运不是你自己能掌控的，但是做衣服不是这样，这是一份努力就会有回报的工作，这让我特别感恩。

祝小兔：你觉得做好最关键的是什么？

宁远：还是多做多思考，再加一个"敏感"吧。做衣服和写作一样，需要很强的感受力。

祝小兔：我妈妈在我这个年龄不但为我和她，还有邻居、同事及其小孩做过很多衣服了，家里的《南方周末》、《齐鲁晚报》都用来打版，缝纫机、锁边机在脚下踩地风驰雷电，呼呼作响。朝九晚五的刻板生活里，做衣服和跳交际舞是热爱时髦女人们的消遣，要穿了自己做的独一无二的连衣裙跳舞才最美，当然她们还有烫卷的刘海和变速自行车。因为做衣服，对小孩子的成长格外敏感。小孩子长身体，裤腿和裙摆的布料往往被收进去一块，长高一些，就拆线放出来，再锁边缝起来。

宁远：是这样的，为孩子做衣服是很幸福的感觉，这就是"为你爱的人缝衣"。

祝小兔：遇到过什么困难吗？

宁远：很多困难，但都不足以难到让我坚持不下去，困难都是琐碎的，要做到的只是一件一件地去克服。很多人往往都是忍受不了这种琐碎最终放弃吧，可我有时爱这种琐碎。为一件衣服的几颗扣子逛遍整个市场，一个版前后改五六次还达不到想要的样子……这样的琐碎，本身包含着美好。

祝小兔：手工的一针一线倾注的是投入的感情和时间，微小而珍贵。整个社会向前走，除了冲在前面的人，也需要像你这样慢吞吞给人安定感的人。你未来对自己的期许是什么？你愿意为之一直努力下去吗？

宁远：每一天活在真实的生活里，享受做每一件事，每一件衣服。我愿意就这么过下去。我的一个朋友写了一首诗，其中一句："我爱的人，他们已经出现，我现在要做的就是好好爱他们。"对我而言，身边的人以及自己正在做的事情都是这样。

祝小兔：用天然的布料，质朴的花色，想穿什么，就做什么，不要去想灵感，随心所欲，我觉得你是一个对自己彻底诚实的人。说说你的性格吧，有什么古怪的爱好？或者偏执？

宁远：我自己觉得我一点个性也没有，挺普通的一个人。要说偏执，我有那么点"以貌取人"，这个"貌"倒不是长相什么的，而是指一个人的审美趣味。

祝小兔：《时尚芭莎》文化版副总监，图书策划人。

后记

谢谢为这本书付出劳动的朋友。

谢谢阳光房的同事和亲人们，谢谢喜欢阳光房的姑娘们。

谢谢孩子，谢谢孩子的爸爸。

我爱的人们，你们已经出现。

图书在版编目（CIP）数据

把时间浪费在美好的事物上 / 宁远著 . -- 北京：北京时代华文书局，2014.4
ISBN 978-7-80769-897-5

Ⅰ.①把… Ⅱ.①宁… Ⅲ.①散文集－中国－当代 Ⅳ.① I267

中国版本图书馆 CIP 数据核字 (2014) 第 242133 号

把 时 间 浪 费 在 美 好 的 事 物 上

著　者｜宁　远

出 版 人｜田海明　朱智润
选题策划｜陈丽杰　李凤琴
责任编辑｜陈丽杰　李凤琴
装帧设计｜P-OPPY 设计　聿　落
责任印制｜刘　银

出版发行｜时代出版传媒股份有限公司 http://www.press-mart.com
　　　　　北京时代华文书局 http://www.bjsdsj.com.cn
　　　　　北京市东城区安定门外大街 136 号皇城国际大厦 A 座 8 楼
　　　　　邮编：100011　电话：010－64267120　64267397
印　　刷｜北京京都六环印刷厂　010－89591957
　　　　　（如发现印装质量问题，请与印刷厂联系调换）
开　　本｜880×1230mm　1/32
印　　张｜7.5
字　　数｜145 千字
版　　次｜2015 年 3 月第 1 版　　2015 年 3 月第 4 次印刷
书　　号｜ISBN 978-80769-897-5
定　　价｜36.80 元

对于我来说，宁远是一个正面肖像。她的才华，她的热情、她的周到，她的情调，她的吃苦耐劳和种种巧思妙想，都给人以美好的感觉。

——洁尘

做衣服是她现在的谋生方式，但和写书、画画、养育两个小女儿、种花一样，更是她喜欢的生活方式的一部分。套用她的惯用表达，这种生活方式，估计也就叫阳光房吧。有点负暄的意味。

——徐哩噜

她换任何一种工作，你都会觉得美好，她的一个特殊功能就是把任何一种生活，都过成美好的样子。

——丸子小

出 品 人：田海明　朱智润
出版策划：陈丽杰　李凤琴
责任编辑：陈丽杰　李凤琴
装帧设计：P-OPPY设计
版式设计：聿　落
封面摄影：张小喜
内文摄影：宁　远　张小喜
营销宣传：秀　彦　源　源
责任印制：刘　银

团购电话：18610026992　周　均

做自己想做的事，爱自己想爱的人，顺从本心；
　　把时间浪费在美好的事物上，才是最美好的生活。

必须追求好的生活远过于生活。
——苏格拉底

你要按你想的去生活，否则，你迟早会按你生活的去想。
——世相

在我有生之日，做一个 　　　　　　　　　　　　在有限的时
空里过无限广大的日子 　　　　　　　　　　。
——三毛

没有谁的人生是完美的，但追求完美的姿态却可以变成美。

手工好不好没关系，画得好不好没关系，"会不重要，爱才重要"。全身心

投入一件事，享受它，那么在这过程里，你其实已经开始收获了。

"生活一思索都是疑问，唱出来才是歌。"不需要多大的梦想，只需要小小

的心愿。设定一个，然后一点一点接近它，我想每个人都能找到灵魂在跳舞

的感觉。

——宁远

建议上架：畅销·文学·随笔

ISBN 978-7-80769-897-5

定价：36.80元

For simple life, Quality life.